國寶

朱家溍主編　商務印書館

TREASURES OF CHINA

© 1983 The Commercial Press (Hong Kong) Ltd.
Kiu Ying Building, 2D Finnie St.,
Quarry Bay, Hong Kong

First published November 1996

Chief Compiler: Zhu Jiajin
Executive Editor: Chan Man Hung
Arts Editor: Wan Ya Sha
Photographer: Hu Chui
Designer: Yau Pik Shan

國　寶

主　　編……朱家溍
責任編輯……陳萬雄
美術編輯……溫一沙
攝　　影……胡　錘
裝幀設計……尤碧珊
出　　版……商務印書館（香港）有限公司
　　　　　　香港鰂魚涌芬尼街 2 號 D 僑英大廈
印　　刷……中華商務聯合印刷有限公司
　　　　　　香港新界大埔汀麗路 36 號
製　　版……昌明製作公司
　　　　　　香港北角英皇道 430 號新都城大廈 C 座 536 室
版　　次……1983 年 10 月初版
　　　　　　1996 年 11 月普及版第 1 次印刷
　　　　　　© 1983 商務印書館（香港）有限公司
　　　　　　ISBN 962 07 5214 7

出版前言

　　《國寶》是本館繼《紫禁城宮殿》（一九八二年）之後，與北京故宮博物院合作編輯的第二本大型畫冊。《紫禁城宮殿》的出版，荷蒙讀者的繆愛，感激之餘，更堅定了我們繼續出版高水準大型畫冊的信念。

　　雖然經過了無數的天災人禍，歷盡了幾許滄桑，但在中國的大地上，依然屹立着無數名勝古蹟和保存了大量的文物藝術的珍品。這些都是數千年來千萬人的心智結晶，也是中華民族創造了高度文明的歷史見證。在今天，我們不僅要妥善保護這些珍貴的文物藝術，更重要的是對之要有應有的認識和理解。只有這樣，才能在繼承優秀文化傳統的基礎上，對今後的中國和人類作出更大的貢獻。

　　《國寶》畫冊介紹的一百件珍品，是從北京故宮博物院所藏的一百多萬件藏品中精選出來的，可以説是寶中之寶。本館出版這部畫冊，目的是想在介紹和發揚中華民族優秀文化藝術上盡點微力。我們希望這部大型畫冊的出版，一方面可以供給學者研究和專家鑒賞，另一方面也可以滿足廣大讀者要求認識和理解中華民族傳統文物藝術的需要。因為只有在普及的基礎上，才能促進文化藝術欣賞水平的提高；而且這樣的提高才是堅實的，才有意義。所以，《國寶》這部大型畫冊的編輯出版，除力求文字、圖片、編排、設計和印刷等方面達到高水平外，也注重內容的深入淺出、雅俗共賞的原則。

　　最後，對北京故宮博物院的贊助、參與撰寫的專家、藝術攝影師及各有關單位的工作人員的鼎力合作，表示衷心的謝忱。

商務印書館

中國全圖

（大陸部分依其現行行政區畫）

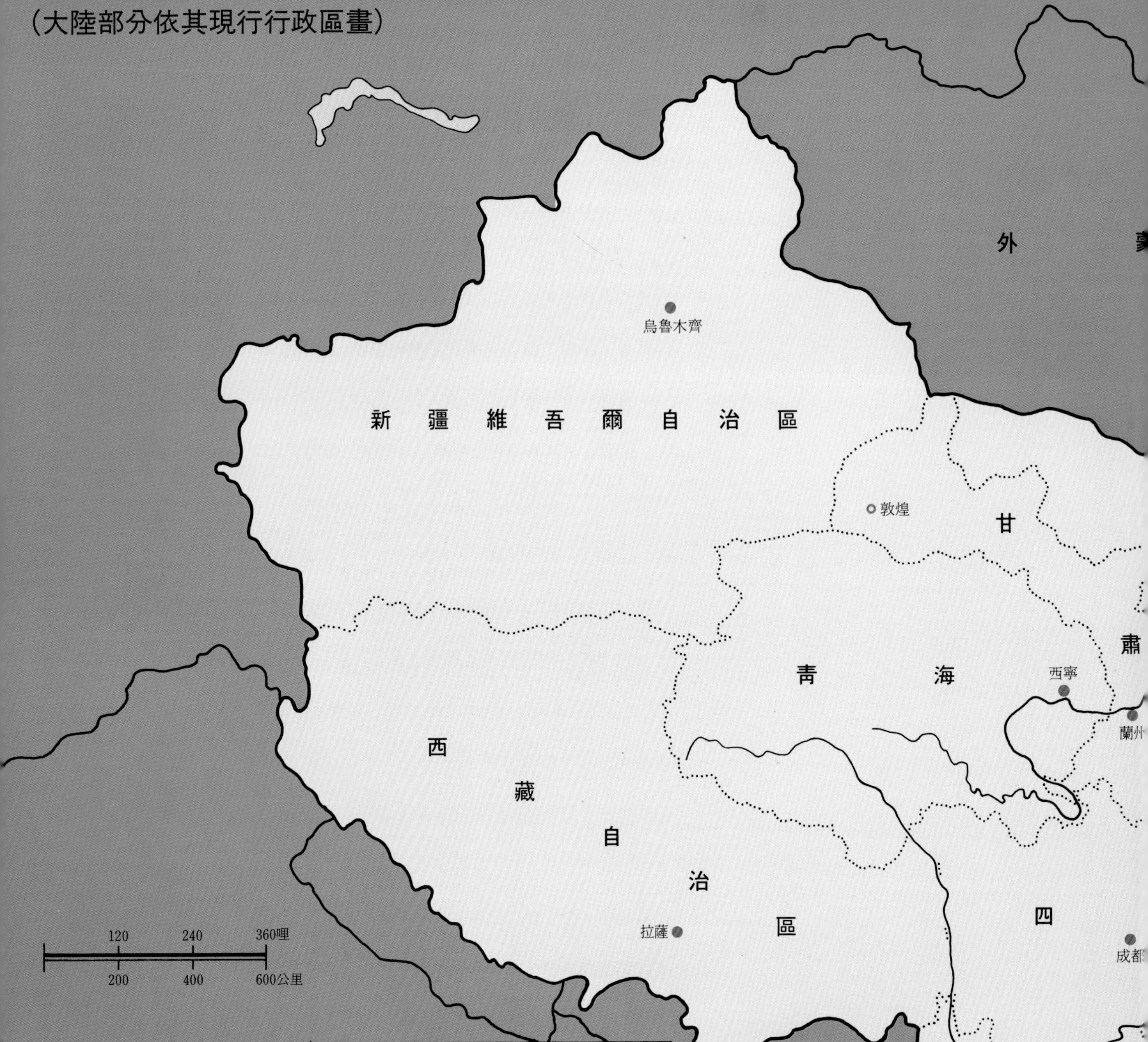

外　蒙

烏魯木齊

新　疆　維　吾　爾　自　治　區

敦煌

甘

肅

青　海

西寧

蘭州

西

藏

自

治

區

拉薩

四

成都

120　　240　　360哩

200　　400　　600公里

昆明

雲　南

北京故宮博物院鳥瞰圖

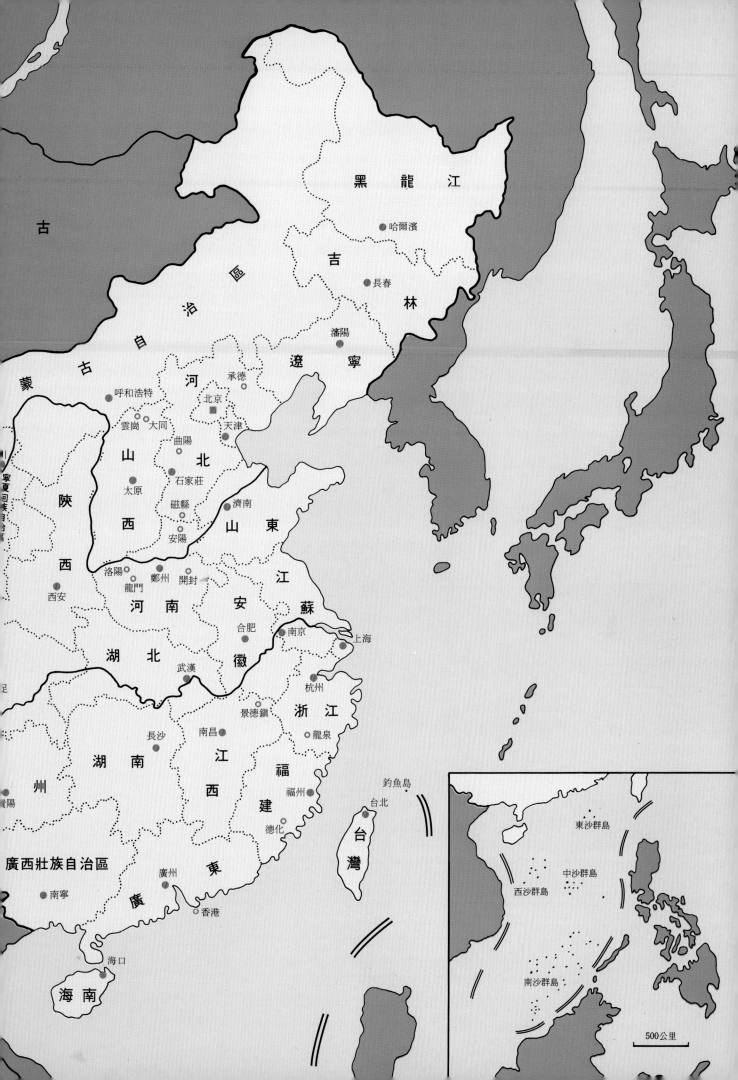

黑　龍　江

古

哈爾濱

吉

長春

林

瀋陽

遼　寧

河

承德

呼和浩特

北京

蒙

雲崗　大同

天津

古

曲陽

山

石家莊

北

太原

寧夏回族自治區

陝

磁縣

濟南

西

安陽

山　東

西

洛陽

鄭州　開封

江

龍門

河　南

安

西安

蘇

湖　北

徽

合肥

南京

上海

武漢

杭州

州

景德鎮

浙　江

貴陽

長沙

南昌

龍泉

湖　南

江

福

西

建

福州

釣魚島

廣西壯族自治區

南寧

廣州

德化

廣

東

台北

台

灣

海口

香港

東沙群島

海　南

中沙群島

西沙群島

南沙群島

500公里

中國歷史年表

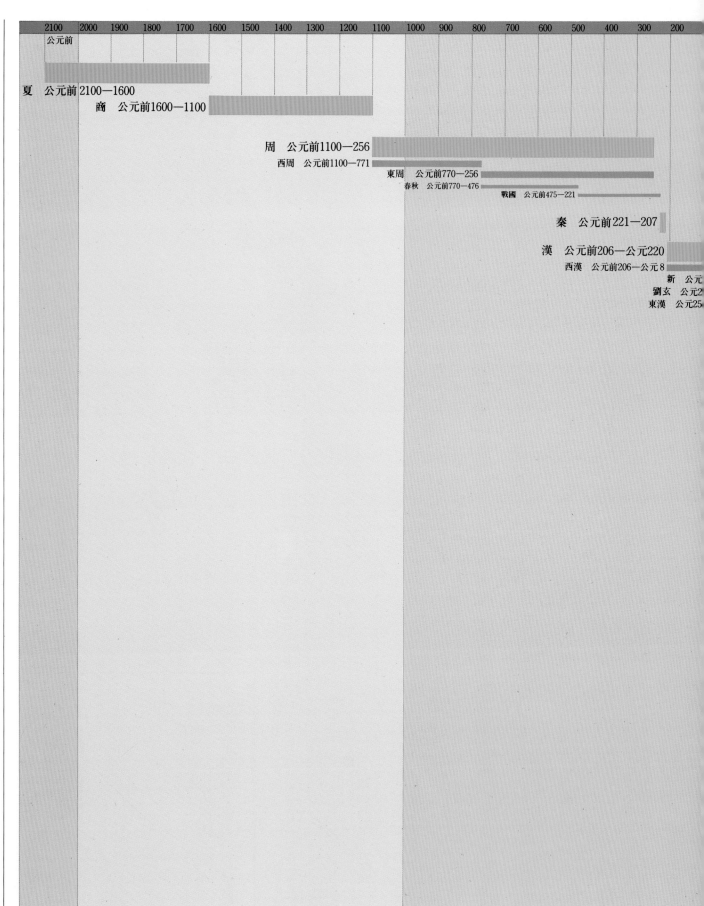

	2100	2000	1900	1800	1700	1600	1500	1400	1300	1200	1100	1000	900	800	700	600	500	400	300	200

公元前

夏　公元前2100—1600

商　公元前1600—1100

周　公元前1100—256

西周　公元前1100—771

東周　公元前770—256

春秋　公元前770—476

戰國　公元前475—221

秦　公元前221—207

漢　公元前206—公元220

西漢　公元前206—公元8

新　公元

劉玄　公元2

東漢　公元25

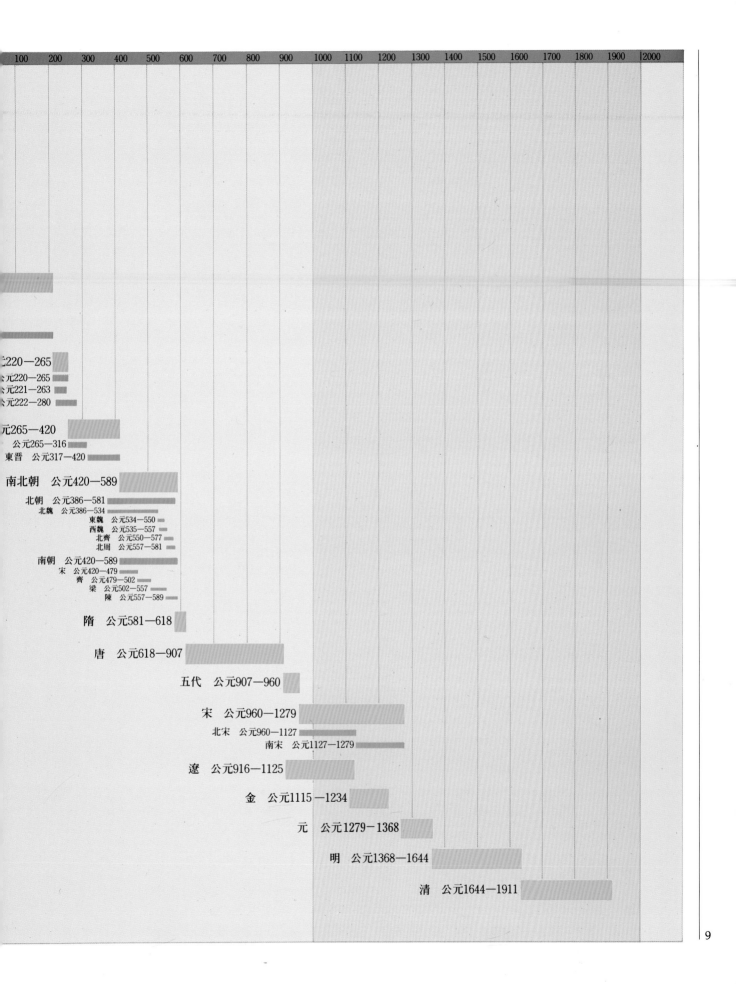

目錄

文物圖錄

導　言

故宮，原是明、清兩代的皇宮。宮殿建築本身，就是文化藝術史上的重要遺物。

一九一一年的辛亥革命推翻了清王朝。一九一四年在明、清故宮的前部成立了古物陳列所，後部宮殿仍由清遜帝溥儀居住。一九二四年溥儀出宮後，成立了清室善後委員會。一九二五年十月，後部成立故宮博物院。抗日戰爭勝利後，古物陳列所撤消，併入故宮博物院，開放至今。

故宮博物院現藏文物九十一萬餘件，大多數爲明、清兩代宮中遺留的歷代藝術品；少數爲近三十年來徵集到的。這些藝術品有歷代名畫、法書、碑帖、靑銅器、陶瓷、織綉及其他工藝美術品。這部《國寶》畫册，就是從故宮博物院現藏珍品中選出的，共一百件。其中一部分曾經公開陳列於歷代藝術館和各專館中，一部分尚未公開展出過。

中國歷代皇宮內都收藏有許多珍貴文物。《宣和書譜》、《宣和畫譜》、《宣和博古圖》是記載宋朝宣和內府收藏的書、畫、鼎、彝等珍品的目錄。《西清古鑑》、《西清續鑑》、《寧壽鑑古》、《石渠寶笈》（初、二、三編）、《秘殿珠林》（初、二、三編）、《天祿琳瑯》和《四庫全書》總目等等是清乾隆時期由翰林官們編輯的宮中所藏古銅器、字畫、圖書的目錄。見於著錄中的很多古代文物，早已散失，現在只能從文獻中見到名稱而已。但也有不少寶物幾經聚散，歷盡滄桑，才保存到今天。例如石鼓，原來發現於陳倉的野地，共十鼓。唐朝韓愈爲博士的時候，曾請求把石鼓移到太學，沒有得到允許。後來鄭餘慶把石鼓遷到鳳翔孔子廟。經過五代的兵亂，十鼓失散。到了宋朝，司馬池在鳳翔做官時，收集到九鼓，安置在府學。皇祐四年（1052年）十鼓才收齊。大觀二年（1108年），移到當時的京都開封。皇帝命以黃金塡嵌石鼓的文字，先陳設在太學的辟雍，後來移到保和殿。金人破開封，把石鼓運到北方，安置在大興府學（即現在的北京）。元皇慶（1312—1313年）年間，移到文廟戟門內。明、清兩朝相繼把石鼓陳列於國子監、文廟大成門內。辛亥革命後仍在原處陳列，任人參觀。抗日戰爭時期，北京的部分古物南遷，石鼓也隨之運到南京，後經武漢運到四川。抗戰勝利後，又經原路運回北京故宮博物院保存至今。又如：晉王珣的《伯遠帖》，曾載於《宣和書譜》。清朝又載於《石渠寶笈》。隋展子虔的《遊春圖》、唐韓滉的《五牛圖》、五代顧閎中的《韓熙載夜宴圖》等等名畫，也都曾載在《宣和畫譜》中，到清朝又載在《石渠寶笈》中。這類法書名畫，從宋宣和內府失散出來，有些由私家收藏，有些曾經元、明內府徵集收藏。明隆慶年間，內府所藏唐、宋書畫有一部分作價歸成國公朱希忠、朱希孝兄弟所有。朱希忠於萬曆元年（1573年）死後，他所收藏的最精品歸張居正所有。萬曆十年（1582年）張居正死後，家被抄，這部分書畫又收回到宮中。又如本書所載的宋張擇端《清明上河圖》，曾經很多人收藏，明嘉靖時爲權相嚴嵩所得。嚴嵩父子獲罪被抄家，很多法書名畫又都收入宮中，《清明上河圖》也是其中之一。但不久被太監馮保竊爲己有。清乾隆時整理宮中舊藏的文物，有不少是明朝遺留下來的。乾隆酷愛古代書畫及器物，注意收集。如大收藏家安儀周、梁清標、高士奇、畢沅等等收藏的法書名畫，通過多方面渠道，後來都收集到皇宮裏。《石渠寶笈》、《秘殿珠林》所載浩如煙海的書畫就是這樣收集起來的。

乾隆、嘉慶以後，宮中不甚欣賞重視古書畫，但仍繼續收藏。咸豐十年（1860年）及光緒二十六年（1900年）外國軍隊兩次入侵北京，圓明、清漪等園囿裏珍貴的文物不少遭到掠奪破壞。從辛亥革命後到一九二四年溥儀出宮前十三年間，宮中珍貴文物又散失不少。故宮博物院成立後，曾根據《石渠寶笈》核對尚存的書畫，編印過一本《故宮已佚書畫目錄》。一九四九年以後，故宮博物院按照這本目錄大力收購，多方徵集，已佚書畫絕大部分陸續收回，包括本書所刊載的晉、隋、唐、宋的法書名畫在內，其中《中秋帖》、《伯遠帖》、《五牛圖》等還是從香港用重金購回的。

除了上述幾經聚散，失而復得，終歸保存在故宮的珍貴文物外，未經顛沛流離，一直安穩地收藏在宮中的法書名畫仍佔大多數。至於傢具陳設器物等等屬於工藝美術領域的珍貴文物，始終未離開故宮的就更不勝數了。有的器物，從製成進呈以後就再沒有移動過。如本畫冊所刊載的“大禹治水玉山”，於乾隆五十二年（1787年）八月安設在寧壽宮樂壽堂以後，到今天一直沒有挪動過絲毫位置。故宮藏玉除傳世古玉以外，現存清代的玉器也都是製成進呈以後一直保存在宮中，有的還是養心殿造辦處“玉作”製成的。本畫冊所刊載的瓷胎“琺瑯彩雉雞牡丹盌”、“銅胎畫琺瑯花鳥瓶”、“象牙雕漁樂圖筆筒”、象牙“百寶嵌花卉漆掛屏”，是造辦處“琺瑯作”、“牙作”、“雜活作”製成，向皇帝進呈以後，也都一直貯藏在宮中。這類工藝品的數量是相當多的。瓷器，由江西景德鎮燒造瓷器處歷年進呈而遺留在宮中的就有十餘萬件。本畫冊所載康熙、雍正、乾隆三朝的瓷器，就是從中選擇的。宮中還藏有江寧、蘇州、杭州三織造歷年進呈大量錦、緞、綾、羅、紗、綢、縐等整匹的織品和緙絲、刺繡的衣物，以及由養心殿造辦處設計交“織造”特製的作品。本畫冊中選載的彩織重錦“極樂世界圖”軸、“孔雀羽彩繡袍”、緙絲加繡“九陽消寒圖”軸，就是從中選擇的。

畫冊載明代宮中遺留的工藝美術品，有永樂、成化、萬曆年歀的瓷器；宣德、景泰年歀的銅掐絲琺瑯器；萬曆年歀的黑漆嵌螺鈿大書案等等。這些器物都是製成以後供使用的，經歷明、清兩代一直貯藏在宮中。

本畫冊內容分為青銅器、書畫、瓷器、工藝美術品和織繡五類。每類每件各有解說。所選文物總數雖只百件，但自商、周以迄明、清，顯示着中國文化藝術的發展過程和成就。

一九八三年朱家溍識於北京故宮博物院

青銅器

青銅器

中國青銅器向以造型優美、紋飾華麗、種類繁多、製造精巧著稱，並以其獨特的藝術形式在世界藝術史上佔有極重要的地位。

青銅器種類繁多。所謂青銅器，廣義來說，是指所有用青銅製造的器具，除禮、樂器外，還有兵器、工具、車馬器及其它生活用品；狹義地說，也是一般的說法，只稱禮、樂器兩項而已。

本畫册所選的十件銅器中，鬲、簋是食器；尊、罍、斝、觚、盉是酒器；鎛是樂器。

中華民族的祖先很早就發現了銅，至遲是在新石器時代晚期就已開始使用青銅製品。

青銅製品和其它製品一樣，先出現的是一些小件工具和其它器物。一九七七年在甘肅東鄉縣林家的馬家窰文化遺址中，出土了中國年代最早的一件青銅製品——青銅刀（3000 B.C.）。一九七二年在河南省偃師縣二里頭文化遺址中，又發掘出大批的工具、兵器、裝飾品和四件青銅爵。這幾件青銅爵是目前所能見到的、中國最早使用合範鑄造的一批完整的青銅容器。

青銅器中的禮器、樂器主要是在各種祭祀和宴饗的禮儀場合下使用的。各級貴族必須使用和他們的地位相當的禮器和樂器，不能踰越，否則就是非禮。所謂“禮”，主要體現在許多具體的儀禮和典章制度中，而“禮”的一個重要組成部分是祭祀。當時的貴族都篤信天命，崇敬祖先，在祭祀祖先的活動中，屬於禮樂範圍的規模是極為龐大的，要殺殉奴隸和多種牲畜，所以禮器中的很大一部分是祭器。一九七五年在河南省安陽市婦好墓出土的四百餘件銅器中，竟有二百一十件是祭器。

青銅器的造型，反映了匠師們具有極高的藝術造詣。商中期至西周早期的風格，端莊，厚重，代表着中華民族的氣質。模仿鳥、獸等動物形態的器物和高浮雕的紋飾，更是生動活潑。周中期以後的器物，偏重於實用，比較樸素。春秋以後又出現了一些玲瓏剔透、體態優美的銅器。

青銅器的花紋裝飾，在商、周兩代，不僅保留和發展了新石器時代彩陶上用得較多的幾何紋，而且出現了以誇張形式或以幻想中的動物頭部為主體的獸面紋、龍鳳紋。又能將很多上古時代的神話傳說融進花紋圖案中。到了春秋和戰國時期，風尚精細繁縟的構圖，一改商、周以來對稱、規整的風格。這時也出現了反映社會現實的圖像內容，諸如宴樂、攻戰、狩獵等，開漢代畫像石（磚）之先聲，對後代繪畫藝術的發展也產生了極大的影響。

銅器的花紋裝飾中，另一種形式是鑲嵌工藝的發展。早在二里頭文化中就出土過鑲嵌綠松石的器物。但早期的鑲嵌不外乎紅銅及綠松石之類。隨着採礦、熔煉、鑄造技術的發展，在器物上鑲嵌其它金屬以增加其價值的情形愈來愈多，尤其是以金銀絲鑲嵌於銅器上，使紋飾益發光彩奪目，絢麗多姿。

中國青銅器還有一個突出特點，是很多銅器上鑄有銘文。這些銘文字數或多或少，形態各異。銘文的出現始於商晚期，代表了氏族的徽號或圖騰，字數較少，主要是為了識別，且以近似於圖形的文字居多。至商末才開始出現多達四、五十字的較長銘文，而內容日益豐富。有的是為自己或祖先歌功頌德，有的是記載當時的重大事件，有的是記載土地交換的情況、訴訟的結果，有的是反映帝王諸侯對臣屬的冊命和賞賜等，為研究中國古代社會、文化、典章制度等提供了可靠的實物證據，以補充古文獻史料的不足。春秋以後，隨着社會的變革和生產的發展，文化比以前普及了。文字的記載轉移到石片、竹(木)簡、絲織品上，銅器銘文也就逐漸失去作為記載歷史的主要功用，而日趨簡化。

中國青銅器不僅有着極為珍貴的文物價值，而且每一件器物都是出色的藝術品。早在三千多年前的能工巧匠，就已熟悉並能靈活的運用藝術造型的技巧，創造出衆多的工藝美術傑作。這等器物，對稱平衡，節奏明快，質感強，體態飽滿，玲瓏精巧，紋飾與造型和諧一致，各方面的配合，達到高度的統一，給人以美的享受。試舉畫冊所選的醜亞方尊和師趛鬲為例。方尊是一件祭祀重器，口徑較大，但在頸部用大弧度內收，腹部外鼓，顯得格外豐滿。下部採用高方圈足，給人以穩重的感覺。器身運用了八條扉棱，上至口沿，使人容易聯想到中國古建築上的飛檐斗栱的格局，很有氣魄，益發加重了莊嚴肅穆的感受。師趛鬲也是祭祀重器，却運用與方尊迥然不同的處理方法。首先是在鬲鼎這類器物中，使用了三點成面的原理，且以三巨大款足(對於袋形腹足的習慣稱謂)支撐豐滿的器身。兩足對稱的附耳，既實用又增加了美感。紋飾的運用上，能與造型配合，極和諧統一。如袋形腹紋用凸起的獸紋，更覺得飽滿，而內收的短頸則採用橫向拉長了的目形紋，使人既感覺到頸部的存在，又不會喧賓奪主，所以整體上仍然使人感到肅穆莊嚴，合乎祭祀重器的身分。

中國青銅器，不僅歷史悠久、民族風格獨特，而且具有鮮明的時代特色，具體表現了中國自商至春秋戰國時期社會高度的文化藝術水平。

1. 乳釘三耳簋

商（1600－1100 B.C.）
高19.1厘米
圈足高7厘米
口徑30.5厘米
足徑25厘米
腹深13厘米
重6,940克

器名簋（音軌），是一種盛食器，約相當於現代的"飯碗"。

簋之制來源於陶器。陶簋原無耳，早期的銅簋也和陶簋一樣是無耳的。後來，由於用銅造的簋比較重，比較大，就加上了耳，實際就是把手，方便取用。古人宴饗時是席地而坐的，簋放在席上，用手到簋裏取食物，至今還有些少數民族保留着這種生活習慣，所以簋就需要造得大些。以後又出現了三耳簋、四耳簋、方座簋等多種形式。這時的耳當然不僅是起把手的作用了，還包含有造型裝飾的意義。

簋是盛裝黍、稷、稻、粱等食物的用具。古代的貴族，在舉行祭祀或宴饗時，往往準備多種飯食，需要同時使用幾隻簋，所以古文獻中記載用簋的情況，少則二隻，多達十二隻，一般都是成雙數的，如四隻、六隻、八隻等。

這件銅簋，侈口，深腹，高圈足；以回形紋為地，主紋採用斜方格乳釘紋及獸面紋、目形紋，這些都基本上保持了商代無耳簋的造型與紋飾特徵。所不同者是製造者裝飾了三個獸形耳，把口沿下及圈足上的紋飾分隔為三組相同的畫面，是這件簋的突出特點。回形紋，是一種出現較早的幾何紋飾，以連續回轉的綫條構成，舊稱雲紋（圓形）、雷紋（方形），或統稱雲雷紋。有時單獨使用在器物的頸部或足部，自商代晚期開始用作青銅器主體紋飾的地紋。目形紋，中間為一目形，左右有延長的尾，或許是以後出現的竊曲紋的原始形態。乳釘紋，以乳狀凸起為紋飾。乳釘位於斜方格的中心，周圍填滿回形紋，稱為斜方格乳釘紋。

有耳簋出現在商晚期，大多無垂珥（即耳下部隆形飾）。有珥簋大約出現於商末周初，而盛行於周以後，所以本器時代的上限應為商末。但由於其斜方格乳釘紋裝飾，是商器的一種主要紋飾，至周代已較少見，故這件簋仍以定為商器比較適宜。

自有耳簋問世以來，雙耳簋最多，也最常見。呈十字形對稱佈局的四耳簋也時有發現，惟有三耳簋極為罕見。

這件三耳簋過去未曾著錄過，此係首次公開發表。

2. 醜亞方尊　3. 醜亞方罍

醜亞方尊
商晚期（1600－1100B.C.）
高45.5厘米
總寬38厘米
口徑縱橫均爲33.5厘米
足徑縱橫同爲22厘米
腹深33.6厘米
重21,500克

醜亞者（諸）姑（后）日
大（太）子隩（尊）彝

尊是盛酒器，也是酒器的共名。銅尊有兩種形制：一種侈口，體近圓筒狀。（也有方體圓口形者，但極少，應是此種尊的變體。）腹多微凸，下有圈足，多出自商代晚期以後，中期以前則少見。另一種是大口廣肩型。侈口，束頸，廣肩，腹與肩相接處爲最大徑，向下則漸收，高圈足。有方形和圓形兩類。最早見於商代中期，盛行於晚期，周初尚存，卻已不多見。廣肩型尊體形比較高大，本器就屬於這種類型中方形尊。

罍是貯存液狀物體的容器。漢代以前，把罍定爲尊的一種，稱爲山罍或山尊。宋人爲銅器定名時，因有的器物上有自名，稱爲罍，故而把它單列爲一類。罍的形制，似瓮而小，似罐而小頸廣肩，最突出的特徵是下腹部正面有鼻（音班，就是把手），可以提起，使罍傾斜，對於倒出貯存的液體較爲方便。罍也有方圓二形，而圓形多見，方形罍較少。

方尊通體飾花紋，肩部四角飾四象首，額上以二夔龍爲角，長鼻高舉，口邊伸出二巨大象牙。四面中間亦飾四獸首，額上伸出二枝杈形冠，似爲鹿首形。器身裝飾了八條扉棱，上端出於口沿外，更顯得雄偉。本器是採用分鑄法製成的。所謂分鑄法，是指器物不是一次鑄成的。基本鑄法有兩種：一種是先鑄好器物的某一部分，然後將這已鑄好的部分（或附件）嵌入器體範（模型）中，再澆鑄，使與器體合成一體。如銅斝的柱，大型銅方鼎的器壁等都是採用這種方法鑄成的。另一種是先鑄成器體，而在器體的相應部位預先鑄出凸起物或預留鑄出孔，然後將附件的陶範和泥芯附着在器上澆鑄，使附件與器體合在一起。如乳釘三耳簋的鋬和本器上的八個獸首，都採用這種方法。

方罍廣肩，口微斂，屋頂形蓋上立一四阿式鈕。全器共八條扉棱，肩部左右各有一獸首銜環，繫繩後即可將器物提起，也可以直接當作把手使用。正面腹下部有一獸首形鋬。通體飾回形紋爲地的夔體獸面紋。夔是傳說中的一種動物，似龍而一角，一足，多張口捲尾，一般稱夔紋，也作夔龍紋。獸面紋舊稱饕餮（讀：滔鐵）紋，是一種誇張了的虎、牛、羊、豬等獸的正面頭像的紋飾，如方尊就是；另一種則是以二夔龍紋相對組成獸面，本器即是。

醜亞方尊原有完全相同的一對，現藏故宮博物院的較完好，另一件足部殘損較重的現在臺北市故宮博物院。

方尊和方罍都有銘文九字。"醜亞"是一個氏族的名稱。目前已知有這一氏族徽號的銅器多達五、六十件以上。醜亞族當爲商代的一個地位較高的大族，大概生活在以今山東省益都爲中心的地區。

與本二器同銘的銅器，見諸於世的約近十件。銘文中"者姑"二字，據原故宮博物院副院長、著名學者唐蘭先生考定，就是諸后，也就指歷代先王。這組銅器既然是用以祭祀歷代先王及太子，說明這一氏族與殷王朝關係密切，或許就是殷商帝王之宗族後裔。一九七五年河南安陽五號墓出土了一大批銅器，據考證是商代武丁時的后，名叫婦好的墓。銅器中也有大型的尊罍多件，進一步證明這種大型祭祀重器非一般貴族所能鑄造。同時，由於銘文字數已由簡到繁，說明這兩件銅器應晚於婦好諸尊，是商晚期的器物無疑。

23

醜亞方罍

商晚期（1600－1100 B.C.）

通蓋高62.2厘米

總寬37.6厘米

口徑橫16.9厘米

縱15.5厘米

足徑橫19.4厘米

縱16.4厘米

重20,800克

醜亞者（諸）姤（后）吕
大（太）子陟（尊）彝

醜亞
者姤吕
陟彝
大子

24

4.九象尊(友尊) 5.四象觚(象紋觚)

九象尊（友尊）
商（1600－1100 B.C.）
高13.2厘米
口徑20.7厘米
最大腹徑18.7厘米
足徑15厘米
腹深10厘米
重2,700克

這兩件銅器約在四十年代於河南省安陽市殷墟遺址出土。四象觚存世三件，除本器未曾發表過外，另兩件一存美國古董商手中，另一件現藏瑞典首都斯德哥爾摩市遠東博物館。而九象尊却是國內外僅有之絕代珍品。

九象尊因器腹內有一銘文"友"字，故又稱爲"友尊"。"友"應是氏族徽號。本器造型奇異，既有別於大口廣肩尊，又不同於圓柱形尊，可能屬於大口廣肩型的一種特殊變體。此尊大口圓形，侈口，束頸，鼓腹，圈足上有三個十字形孔，範合縫於十字孔處，顯然是由三塊外範（模子）合鑄而成。腹部以回形紋爲地，上有九隻象形紋飾。頸部飾一道複合回形紋帶。口沿下飾一周由二十四隻蕉葉紋組成的紋飾，頸腹紋帶上下各飾一周圓圈紋（或稱作連珠紋）。最值得注意的是，圈足上飾瓦紋，這種紋飾以其與舊式房屋上瓦隴相似而得名，開創了後世瓦形紋飾的先例。瓦紋主要盛行於西周晚期至春秋時代。

觚（音姑），是飲酒器。銅觚最早見於商中期，也是來源於陶器的。大汶口文化和龍山文化遺存中都出土過陶觚，型式均與銅觚相似。早期的觚一般也可分爲細腰體高型與粗腰體矮型二種。後者較實用；前者既細又高，用來飲酒不大方便，可能祇是作爲禮祭器而存在的。觚的型制西周時已漸漸減少至消失，可能與周代禁酒有關。

觚之器全無自名，故以其主體紋飾爲名，稱爲四

26

四象觚（象紋觚）

商（1600—1100B.C.）

高26厘米

口徑15.3厘米

足徑9.5厘米

腹深18.2厘米

重920克

象觚（也可稱爲象紋觚）。本器侈口，口徑較大，體高，腰細，腹前後飾二獸面紋，高圈足上除象紋外，亦以回形紋爲地，腹足紋飾上下也各有一周圓圈紋。

觚這種銅器在其造型上儘管是上大下小，但由於製造者的高度技巧，在結構上採用了寬邊喇叭口形的高圈足，使重心安排在器物的中下部。在花紋裝飾上，頸部多採用狹長形紋飾，如蕉葉紋等。而在足部則用獸面紋或垂鱗紋等紋飾，使整個器物的結構和紋飾巧妙地結合成一體，充分體現靜態的平衡與和諧。

這兩件銅器的主體紋飾均爲象紋，長鼻上捲，象牙與象耳顯明。尊上的九隻象和觚上的四隻象，似是象羣在行進移動中。製造者不是把象的形狀作抽象化的描繪，而是一種生動眞實的形象的表現。

象現在是熱帶地區的動物。可是商周時代，中原地區確是有象存在的。據古文獻上說"商人服象"，殷墟侯家莊西北崗殷代大墓中曾發現過兩具象的遺骸，周以前的銅器上常以象的形狀作成裝飾附件，如象耳、象形足等，還有的製成象尊。大概，主要是因爲氣候的改變，以及後來人口增多，生產發展，使象賴以生存的生態環境發生了變化，才逐漸南遷。

6. 冊方斝

商（1600－1100 B.C.）

通柱高28.3厘米

口徑縱11厘米

橫13.3厘米

總寬16.9厘米

重3,120克

器名斝（音甲），是一種既可盛酒又可加溫的酒器。這種銅器的銘文，一般字數很少，沒有自名。

這件方斝，體方，有蓋，頸部略收，鼓腹，底微凸。腹一側有鋬，與鋬相鄰兩側口沿上立二方傘塔形柱，腹下四足外撇。蓋平而薄，正中有二鳥構成之拱形鈕，二鳥相背而立，鳥頭向外，冠相連。蓋上飾二獸面紋，鋬上飾一獸首。腹部每面之主紋為一組大獸面紋，回形紋為地。腹上頸部及傘塔形柱帽上均飾三角紋，角尖向上，四足飾蕉葉形夔紋。本器是一件裝飾華麗，造型優美的珍品。

本器銘文只有一"冊"字，鑄在器內底上。這種單一的銘文，大都是作器主人名或氏族徽號。

銅斝最早出現於商中期，亦源於陶斝。早期的銅斝多為圓形。商遷殷（安陽）後，銅器製造的多了，型式亦發生變化，出現了方斝。像本器這樣束頸鼓腹的四足斝大都出自安陽，且絕大多數已流散至國外。現為國內僅存，於一九七五年安陽婦好墓新出土的一件有蓋小方斝，與本器近似，據此，本器也應是商晚期

鑄造的。銅斝還有另一種型式，就是商晚期出現的分襠斝（附圖就是分襠斝的型式）。這種型式延續到西周初期還鑄造，以後就絕迹了。

青銅酒器商代之所以最盛行，因為商朝人嗜酒。王公貴族的生活風尚是日夜狂飲。尤其到了商代最後一個皇帝紂王，因"好酒淫樂，嬖於婦人。"而亡國。西周初期的帝王，接受了商朝因酗酒而亡國的教訓，嚴厲禁酒。由於這個緣故，很多在商代盛行的酒器，到西周以後便逐漸消失了。

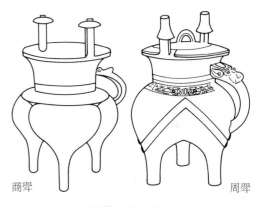

商斝　　　　　　　　　　周斝

分襠斝的型式示意圖

7. 堇臨簋

周初（1100 B.C.）
高16.1厘米
口徑21.1厘米
總寬33.5厘米
重3,660克

這件銅器腹內鑄有八個字的銘文"堇臨作父乙寶
隋彝"。根據銘文，這件簋是堇臨爲了祭已死父親"父
乙"而做的。商朝人的習俗，每天都要按既定次序祭
各祖先。"父乙"是排在乙日祭祀的，也就是排在一
旬中第二天祭的，但"寶隋彝"則是周代的用語。再
從銘文的書法特點以及這件簋的形制和花紋來看，應
定爲周初器。周初的書法特點，一般稱作波磔體，即
字中有肥筆，首尾兩端出尖鋒，端嚴工整，典雅優美。
"堇臨"則可能是商代的一個遺民或貴族。

堇臨簋屬雙耳簋。侈口，腹微鼓，圈足，附珥，是

堇臨作（作）父乙
寶隋（尊）彝

傳世的"熟坑"。即曾經過酸洗、去銹和打磨等加工。腹前後飾兩組大獸面紋，無地紋。獸面紋的耳、目、口、鼻、角等略凸出於腹面，上面還飾有一層較淺的花紋。頸部和圈足也各有一道紋飾，用蟠曲的龍紋和圓渦形紋相間佈置，在頸部紋帶中間前後兩面各飾一小獸首，而圈足上就簡化成只剩一個鼻子的形象。顯然這個簋身是由四塊外範合鑄的，兩側的範縫爲耳部所掩，前後的範縫就以獸面或鼻形的裝飾來掩蓋。

這件簋耳部的裝飾最爲突出。一般簋耳，都只做成一種動物的形象。這裏却把龍和鳥的形象結合在一起。設計這件簋的兩千多年前的工藝師，巧妙地把這個略具橢圓形的把手上部做出一個龍頭，上面崢嶸地聳立兩個方角，在凸出的上唇下面，露着兩顆銳利的巨牙，帶着鱗的一段龍身和簋體結合起來。把手的其它部分則做成一隻鳥，鳥頭連接在龍的頰下，凸出的鳥喙像鈎子一樣向下彎曲，鳥身和兩翼略作弧形後掠，因而構成把手的下半部，鳥尾與簋體相結合，而把手下面，在長方形的珥上，則刻出鳥足和長長的羽毛。在一個簋耳上，出現這樣複雜、生動，又幾乎是獨立的圖雕，是極少看到的器物。

8.四虎鎛

西周（1100－771B.C.）

通鈕高44.3厘米

鈕高10.5厘米

總寬39.6厘米

銑間距27厘米

鼓間距20.4厘米

重16,000克

青銅樂器在青銅器中佔有相當的比重。如果說禮器代表當時社會森嚴的等級制度的話，那麼，樂器也具有同等的效用。使用樂器的多少同樣能反映出當時貴族地位的高低。按周代的禮制，天子用鐘四組，諸侯三組，卿大夫二組，士一組。進入春秋時代以後，就出現了孔子所見到的"樂壞禮崩"的局面。所以，我們所見到的鐘的數量，遠遠超出上述的等級制度的標準。

樂器和禮器一樣，隨着時代和地域的不同，也有很大變化和差異。商代有鐃無鐘，也有稱爲鉦的，是中國迄今所知道的最早出現的打擊樂器。河南安陽出土的這種樂器，形制體扁短闊，上大下小，口朝上有柄在下，中空可裝木把，編鐃一般較小，三五個一組；大鐃多單個出土，上飾獸面紋或象、虎等紋飾。春秋戰國時代的徐、楚、吳、越等地盛行一種稱爲句鑃的樂器，實際就是鉦鐃的變形。

鐃發展到西周，轉變爲鐘，初爲甬鐘。最早見於西周中葉，其形制如圖所示，就好像是倒懸的鉦鐃，懸於架上敲擊，多爲成組出現（即今謂"編鐘"）。每組三件以上，多至十餘件。春秋以後出現鈕鐘。湖北隨縣出土的曾侯編鐘有六十四件，分爲八組，每組數量有多有少。音色優美，音域寬廣，可用來演奏現代音樂，說明中國古代音樂藝術水平之高超。

鎛爲鐘的一個分支，與鐘小有差別。一般是以造型來區分，即下口呈橋形者爲鐘，平口者爲鎛。鎛的出現要晚於甬鐘，而早於鈕鐘。早期的鎛是單個使

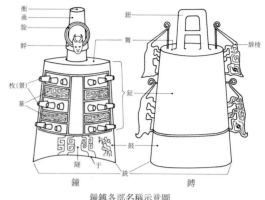

鐘鎛各部名稱示意圖

用的。到春秋以後才出現了編鎛，如陝西省寶鷄市近來出土的秦公鎛，故宮博物院藏的蟠虺紋鎛，都是三件一組的編鎛。與一般鐘鎛相比，本器裝飾比較奇特。前後兩面鉦部各飾以一組大獸面，中間凸起一道鏤空的扉棱（已殘，似應爲一鳥）好像是獸面的鼻。獸面兩旁各有一條倒立的夔龍，獸面上下各有一以圓渦紋爲主體的條帶形紋飾。製作者還匠心獨具，在鎛身上飾有四隻張口捲尾、形態極爲生動的扁形立體虎，兩兩相對，構成鎛兩側的扉棱，使動與靜有機地結合，給人以一種美的享受。由此可見中國古代的民間藝術家，對於造型裝飾藝術研究之精深，構思之奇巧，已達到了相當高的水平。使這件銅器具備了文物和藝術品的雙重價值。

與本器相似的鎛有三：1.宋代《宣和博古圖錄》著錄的"周虎鐘"，今不知落於何處；2.現存日本的"虎鐘"；3.上海博物館藏"四虎鎛"。其中僅上海四虎鎛鉦部紋飾與另三器差異較大。

9. 師趛鬲

晚周（1000－771 B.C.）

通耳高50.8厘米

高至口沿42厘米

口徑47厘米

總寬57.6厘米

重48,800克

本器自名鬲（音辱），是一種大型鬲鼎。我們通常所說的鼎，就是指兩耳、三足圓腹的容器。但也有例外。如：扁足圓鼎、三足分襠鼎、代盤鼎、獨柱鼎等，都是普通圓鼎的變體。商代中期至西周早期，還流行一種四足方鼎，著名的重達875公斤的"姤戊"（或釋"司母戊"）大方鼎，就是這種形制的代表作。商代的鬲，立耳，袋形腹較深，足短，到商末周初體形已由高變低。西周後期至春秋前期，體形更矮，分襠已近於平底，但有一圈很寬的唇邊，且多無耳。但是這時也出現了一些袋形腹的鬲，可能屬於一種返祖現象吧？鼎之大者，往往有專名，如鑊鼎、鼎升等。本器稱作鬲，也可能是大型鬲的專名。不過鬲和鼎有分別，但功用很相似，同為煮食器，相當於現代的鍋。鬲和鼎在古時代可能同出一源，後來才分家。鬲這種器形到戰國晚期就消失了。

本器是傳世"熟坑"。侈口折沿，頸附耳，分襠袋形腹有扉，蹄狀足。全器紋飾以"鼓花"（即半浮雕）為主，地飾回形紋，腹部飾六隻巨大的回首夔龍紋；造型上三附耳，蹄足。以及從銘文風格與內容等特徵來看，本器是西周晚期製作。

本器腹內壁鑄有銘文五行廿九字。銘文大意是："在九月初庚寅這個吉祥的日子裏，師趛為其已故的父母鑄造了這件大鬲鼎。願其子孫萬代永遠寶用。"本器是師趛為其父母所鑄祭器，因此本器就稱為師趛鬲。

師趛鬲造型雄偉，是一件祭祀重器，飾有巨大獸形花紋，呈現出一種莊嚴肅穆的形象。本器是迄今所知銅鬲中最大也是最華麗的一件。

孫永寶用囗
陳（尊）鼒（辱）其萬年子
聖公文母聖姬
寅師趛作（作）文考
隹（惟）九月初吉庚

10. 螭梁盉

戰國（475-221 B.C.）

通梁高23.1厘米

總寬19.2厘米

重3,520克

盉（音和）是一種酒器，與今天使用的酒壺相類。從這類銅器的大小和腹下多具三足或四足來看，似是既可裝酒，又可以加溫的器皿。但也有一些圈足盉（或無足盉），則祇能裝酒而不能溫酒了。從出土情況來看，盉往往與盤同出，有人據此說它是水器，可能有一定道理。

盉的造型，早期的盉與晚期的盉有很大差別。

本器流爲鳥首形，口微張作鳴狀，以扁圓形盉體爲鳥腹，流的根部爲鳥的後掠形雙翅和後收的雙爪。鳥首上臥一虎，作爲鳥之冠。提樑爲螭形，雙足分立於器肩，螭首前伸近鳥冠，尾下垂，身作弓形，隆起部分的兩側各由互相絞結的九條小螭鏤空而成，二足近身部各飾一對飛狀的短翼。盉直口微斂，有蓋，上有猴形鈕，頸套鏈環與樑內側相連，左上肢摟在後腿上作蹲坐狀，右肢扶着環鏈。盉腹下有三異獸形足，人面，鳥嘴，四爪，有尾。頭兩側二角下捲，身被鱗斑，裸露雙乳。二後爪並立，腿略前屈，二前爪各緊抓一蛇，蛇首貼於腹部上昂於乳下，蛇身纏繞異獸腹及肩部，尾下垂於腰側。中國古籍《山海經‧中次八經》裏曾介紹—驕山之神，名曰（音駝）圍，其狀如人面，羊角，虎爪，與此異獸特徵大略相合，疑此異獸即是曰圍。

全器除圈形底爲素面外，通體遍佈以粟紋爲地的紋飾。器身花紋三層，中間爲二寬弦紋（單線條的紋飾，較寬），上下二層，主紋爲勾連雲紋（連續性的雲形紋），中層主紋由八組花紋組成，每組由一首二身的蟠螭與二首一身的異鳥相纏繞組成，異鳥昂首垂尾，螭首向下，螭身繞異鳥一頸後回轉至首下。蓋沿由互相勾連的二十條雙頭蟠螭（傳說中無角的龍）組成花紋帶，蓋頂一周寬弦紋內爲細線勾勒的六片葉狀紋及三角紋。鳥形流頸部、異獸形足的身上纏繞之蛇均飾鱗紋。

銅盉造型奇特，裝飾繁縟，在戰國銅器中是較爲突出的。特別是器身上既有寫實的鳥、虎、猴、蛇等動物形象，又加上一些想像中的神怪，充分顯示了戰國時期鑄造水平的先進與技藝之高超。這件銅盉可稱得起古代工藝美術品中的一件佳作。

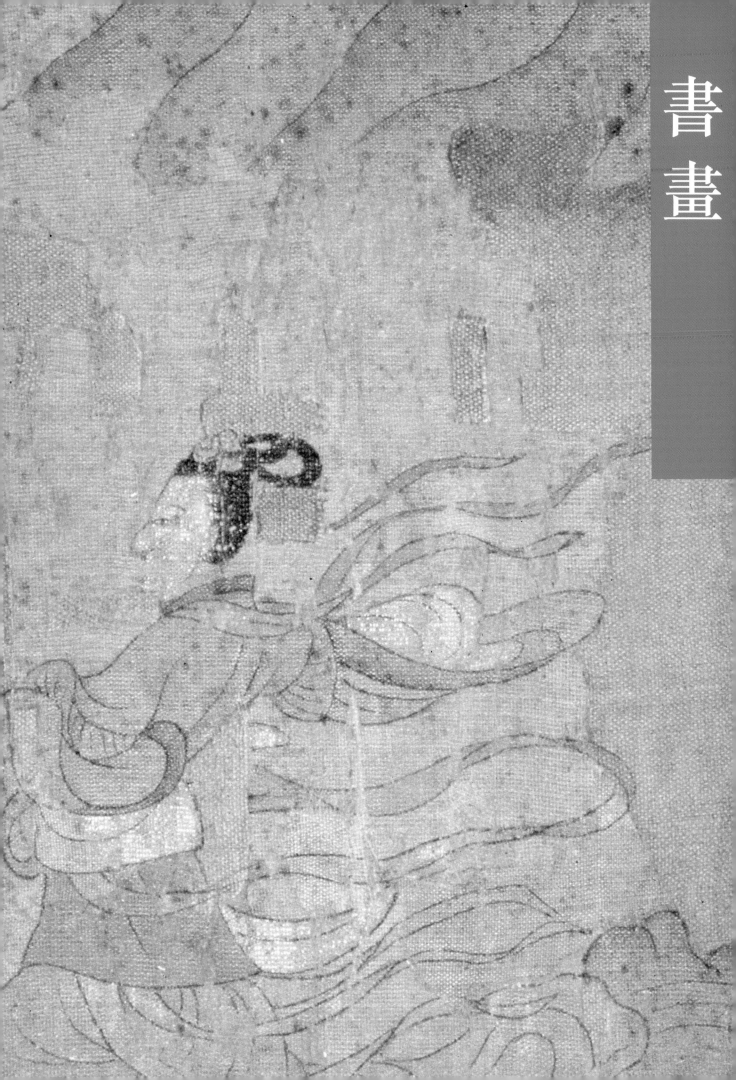

書畫

中國繪畫和書法歷史悠久，源遠流長。僅從長沙楚墓出土的戰國帛畫來說，距今也有兩千餘年了。中國文字的發端，可以溯源到原始時代陶器上的刻劃符號，而把文字作爲書法藝術的創作，也至少產生在春秋戰國時代。

戰國帛畫是用筆蘸墨畫出的綫條來塑造形象的，然後再敷以色彩。這種以綫描作爲繪畫造型的基本手段，一直沿襲到今天，成爲中國繪畫的一個特色。以後畫家們在追求用綫條表現客觀物像真實感的同時，也不斷地追求綫條運用的本身美感，因而產生出各種不同流派和風格。東晉顧愷之，是有作品可考的最早的一位知名大畫家。他的人物畫創作，代表了當時的最高水平。他最先提出"以形寫神"的理論，以後中國繪畫對"神"的表現的追求，由人物畫而發展到山水畫和花鳥畫。在這一要求下，中國繪畫既重視對自然的師法，同時又不爲自然所役，其造型原則，始終是"妙在似與不似"之間。

隋、唐之間，是中國山水畫開始脫離作爲人物畫的背景的地位，逐步走向獨立發展和成熟的時期。著名的畫家展子虔的《遊春圖》，是現存最早的一幅山水畫作品。它所取得的成就，既是六朝山水畫發展的總結，同時也是唐代山水畫的開端。李思訓、李昭道父子正是繼承了他的風格和技巧，而把具有唐代特點的金碧山水畫推向了新的創作高峯。

唐代的人物畫創作是中國繪畫史中人物畫創作的最繁榮興盛時期。最著名的畫家有閻立本、吳道子、張萱、周昉等。被稱爲"畫聖"的吳道子的作品，到今天無法見到其真迹了；而代表了初唐人物肖像畫成就的閻立本的《步輦圖》和代表中唐風格的周昉《揮扇仕女圖》，我們都能看到。唐代的其它著名畫家如曹霸、韓幹、韓滉、韋偃等，以專門畫牛、馬等畜獸著名於世，說明繪畫發展分科越來越細。可信爲韓滉的真迹，目今只有一件《五牛圖》。韋偃的原作可說是早已絕迹，但我們却可以從宋代著名高手李公麟所臨摹他的《牧放圖》中想像其氣概。

人物畫在五代南唐也很興盛。在爲皇家服務的翰林圖畫院裏，有顧閎中、王齊翰、周文矩、衛賢等名家。顧閎中的作品，在刻劃人物內心活動方面極爲細膩，生動傳神，《韓熙載夜宴圖》是其代表傑作。衛賢的作品，至今只有《高士圖》一件，是海內孤本。

唐末五代是山水、花鳥畫飛躍發展變化時期。在山水畫中新出現的水墨畫法，逐步取代了金碧山水的畫法。山水畫家在"外師造化，中得心源"的創作思想指導下，深入到自然山水中觀察體驗，探索各種表現方法，努力創造意境。在中原地區的荊浩、關同，以勾斫皴染的筆法，表現北方雄峻的山峯，躶露的岩石，氣勢雄渾壯美；南唐地區的董源、巨然，以披麻皴和點子皴，表現南方山水的草木葱蘢，煙雲變幻，優美抒情。他們的山水畫的創作方法和技法及其風格式樣，均成爲後世的楷模。《瀟湘圖》可以說是上述山水畫所取得的成就的代表作品。

花鳥畫在唐末五代時期也同樣由於地區的不同而有兩種不同的風格。以黃筌爲首的西蜀畫派，多取材於宮廷中的奇花異鳥，珍禽瑞獸，筆法工細，敷色妍麗，被譽爲"黃家富貴"；南唐徐熙則多取材於農村中常見的蟲鳥花草，而畫法以突出墨綫爲主，設色雅淡，被譽之爲"徐熙野逸"。可惜的是，這兩位不同風格的花鳥畫開宗立派之祖的作品，難於一睹。徐熙的畫久已絕迹人間；而黃筌的作品僅有一件《寫生珍禽圖》。

宋代是皇家畫院最盛時期，許多著名的畫家，都被吸收入宮廷。北宋時代最有名氣的山水畫大師郭熙，就是直接奉宋神宗皇帝的徵詔入宮的。《窠石平遠圖》是他入宮以後的代表作。他在山水畫上的貢獻除創作了大量的作品之外，還從事理論的探討。張擇端是宋徽宗時代的宮廷畫家，《清明上河圖》是一幅驚人的不朽之作。南宋的四大家李唐、劉松年、馬遠、夏圭，全都是宮廷畫家，他們的作品不但技巧熟練，而且很有新意，具有高度的概括性。馬遠的十二幅《水圖》，只畫出水紋的變化，就能表現出多種的意境，其技巧和功力，令人嘆賞。

北宋的中後期，由蘇軾、文同、米芾、李公麟、王詵等人，掀起了一股"文人畫"熱潮。他們創作的思想，更加重視繪畫中的"神"的表現，發展了水墨畫法中的寫意技巧。"文人畫"經過南宋的醞釀和實踐之後，到了元代則成爲了畫壇的主流。趙孟頫是元初士大夫畫家中最爲重要的一位。他一方面主張恢復古法，反對南宋晚期院畫的陳陳相因的積習；另一方面則托古改制提倡"文人畫"的創新。《秋郊飲馬圖》即是他師法唐人青綠畫法而具有文人氣質的一件代表作品。在趙孟頫的影響下，元代的山水畫出現了四大名家，黃公望的淺絳山水，渾厚圓潤，筆墨瀟灑，境界高曠。吳鎮、王蒙師法董源和巨然，筆力雄勁，墨氣濃厚，郁勃深秀。倪瓚則筆墨簡淡，境界超脫。他們各創造了自己的獨特風格面貌，達到了文人山水畫的新高峯。

明代的前半期，宮廷畫院的畫家與浙派畫家佔了畫壇主要地位，山水、花鳥、人物均以宋代畫院爲模範。浙派大師戴進是最有影響和最有成就的畫家，他的山水畫主要繼承馬、夏風格並參以元人筆法，雄健豪爽。明代中期以後，蘇州地區的繪畫創作特別活躍，沈周、文徵明、唐寅、仇英並稱爲"吳門四家"，名震江南。沈、文擅山水，上追董、巨，下法元代諸家，各成一格；唐、仇近師周臣，遠學李唐、劉松年等，山水之外，尤工人物。

水墨寫意的花鳥畫，經過長期的醞釀，到明代中後期得到了突飛猛進的發展。沈周、唐寅、開拓於前，陳淳、徐渭繼起於後，更加發揮了水墨性能和寫意的特色。尤其是徐渭的大寫意，墨瀋淋漓，奔放狂縱，其影響直到今天。明末清初的畫壇，名家衆多，燦若羣星。人物畫中，陳洪綬是其中代表；山水畫中，石谿、石濤、王翬，堪稱一代巨匠，弘仁、項聖謨則別具風格，獨樹一幟；花鳥畫中，八大山人淋漓奇古，惲壽平典雅和平，都是一代大師。清代中期的華新羅和"揚州八怪"諸家的藝術，清新活潑，以嶄新的面目呈現在人們面前，直接開創了中國近、現代繪畫畫風。

中國的書法和繪畫，主要工具同是筆和墨，也同樣是一種綫的藝術。歷朝以來，中國書家代不乏人，各有創造。在我國古代絢麗多彩的文化藝術中，繪畫和書法的關係最爲親密，所以在收藏中，"法書名畫"總是相聯在一起的。很早以來，先人就收集和珍藏繪畫和書法中的名家名作，把它們看作比黃金、珠玉還要珍貴。在唐代，像顧愷之的一件作品，被認爲是"希世之珍"而"不可論價"的。與他同時代畫家吳道子的一片屏風，"值金二萬"。歷代以來，除了皇室不遺餘力庋藏古書畫外，還有許多私人收藏家，如宋代的米芾、明代的項元汴、清代的梁清標、安岐等等，都是以富於書畫收藏而著稱於世。清代乾隆皇帝的收集更爲大觀。他曾得到三件王氏一門的墨迹，專闢一室以貯之，名曰"三希堂"。有兩件今在故宮博物院，其一即本畫册所收的王珣《伯遠帖》。

歷代以來，無論公（皇室）與私，都十分重視古書畫的收藏，所以許多古代名家名作才能流傳至今，供我們欣賞。故宮博物院繼承了這一優良傳統，不遺餘力收集整理古代法書名畫及其它文物，論其數量與質量都是首屈一指的。本畫册印製的雖是從中精選出來的一小部分，但對於了解中國古代繪畫和法書，也是最具有代表性的作品。

11.石鼓

戰國
秦獻公十一年（374 B.C.）

石鼓是中國最古的石刻。在十塊巨石上刻了十首詩，十首詩的次序是："吾車"、"汧殹"、"田車"、"鑾車"、"霝雨"、"作原"、"而師"、"馬薦"、"吾水"、"吳人"。用大篆寫成，共約五百多字。詩中記載的是周王派使者到秦，秦公和他一起到汧河一帶去遊獵的盛況。自公元七世紀初在陝西雍縣發現後，其書法受到了當時書法家虞世南、褚遂良、歐陽詢等人的推崇。唐、宋以來，杜甫、韋應物、韓愈、蘇軾都爲石鼓作過詩。從歐陽修的《集古錄》起，都把它作爲石刻中的最重要的寶物。從中可以看出其時的銘刻、文學、文字、書法等的發展過程。所以石鼓文無論在歷史考古、文學史、文字發展史，以及在書法藝

術史上都佔據着重要的地位，是一件極珍貴的重器。

石鼓文在書法史上的重要地位表現在它繼承了籀文的傳統，開創了小篆的先河。它是籀文發展到小篆的過渡，是小篆之祖。唐初蘇勗說："虞褚歐陽共稱古妙"，張懷瓘《書斷》在談到大篆時說："折直勁迅，有如鏤鐵，而端姿旁逸，又婉潤焉。"就是指石鼓文的書法特點。石鼓文結字較爲方整，大小勻稱，佈局緊密，筆法圓勁，不露鋒芒，歷來爲學篆書者所共宗。

但是石鼓的好拓本很難得，唐代初年剛發現時原石就已有剝泐。傳世的北宋拓本有四本。一是四明范氏天一閣藏，清末發現明安國十鼓齋中的三本，但安

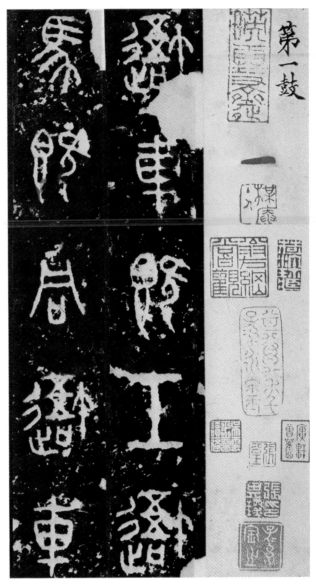

國三本均流往日本。北宋末年石鼓原石被金人劫掠北上，金章宗時將石鼓"金封"，因而南宋不可能有拓本。入元以後直到明、清，其拓本文字損壞更多。故宮所藏拓本原爲朱文鈞先生藏本，明中期拓。

　　這組國寶曾歷盡滄桑。唐初發現後，一直在原地風吹日曬，任人損毀，宋代才移入鳳翔府學。宋徽宗時收到汴京，先由蔡京放在辟雍，後入內府稽古閣。金人破汴京劫掠北上，安置在大興府學（即現在北京）。入元，石鼓放在國子學廡下，後又遷到另立的國子學大成門內左右，經過了六百多年。抗戰期間曾經南遷輾轉萬里，勝利後運回北京。現由北京故宮博物院闢專室保管。

12. 張遷碑

漢・中平三年（186 A.D.）

明代初年拓本

隸書開始於秦，盛行於漢，是一種很美觀的書體。它在篆書的基礎上加以損益，結體由圓變方，比起篆書不僅具有"規矩有則，用之簡易"的特點，而且特別適宜於毛筆書寫。其筆法的變化具有濃厚的裝飾趣味。因此在書法史上是重要的書體。其中《張遷碑》又被視爲漢隸中雄強風格的典型之作。

《張遷碑》立於東漢靈帝中平三年（186年），明代初年出土，原石在山東東平，現保存在山東泰安岱廟。碑文十六行，每行四十二字，碑額篆書"故漢穀城長蕩陰令張君表頌"。碑文內容記載了張遷的生平事迹及其爲人。碑陰刻有捐款立碑人的姓名。

碑文書體端整樸茂，古厚雄強中時出矯健奇宕之姿，筆致剛勁挺拔、而又凝練典雅，富於變化。其用筆特點往往方折入筆，出以鋪毫，結體趨於方長，但字體的大、小、長、短、扁、方及筆畫的粗細互參，變化無窮。碑陰書體更加縱肆、自然。此碑與《衡方碑》及近年出土的《鮮於璜碑》相近，開闢了魏晉書風的先河。《張遷碑》可以說是東漢末年隸書的代表作之一，在書法史上有其重要的地位，因此自從出土以來，廣爲人們重視並傳習。

《張遷碑》好拓本存世不多，而出土初拓本"東里潤色"四字完好者，所見唯此一本。此本拓工精良，墨色渾厚，字口清晰，是一件難得的銘拓珍品。

此拓本曾經寶熙等題簽，桂馥、郭紹高、陸士等跋六段，又褚逢春、王雲、汪大燮、翁同龢、劉廷琛、陳寶琛等人觀款。此拓本最後的收藏者是蕭山朱文鈞，一九五四年捐獻故宮博物院。

徐君蓺于棠晉

無其仁部伯分
恩東里潤色男
懷弟君陸其

13. 伯遠帖

晉·王珣（350－401 A.D.）
紙本　行書
縱25.1厘米
橫17.2厘米

晉代書法繼承漢魏，名家輩出。不但諸體皆備，而且自得新裁，可以說是書法史上盛況空前的時代。其中以王羲之、王獻之等一門書法藝術成就最著，影響最大，爲後世所宗法。但二王手書墨迹眞本，世早失傳。存世所謂二王書均係唐宋人摹本。惟一屬二王系統書法眞本的只有王珣所書的《伯遠帖》，所以歷來都當作希世之珍。

王珣，王羲之從姪。幼從家學，饒有書名。

《伯遠帖》是王珣寫的一封書信。五行共四十七字。其文云：“珣頓首頓首，伯遠勝業情期，羣從之寶。自以羸患，志在優遊。始獲此書，意不克申。分別如昨，永爲疇古。遠隔嶺嶠，不相瞻臨。”此帖筆法削勁挺拔，鋒棱畢現，結體嚴謹，筆畫疏密有致，書勢略微向左方傾側，險峻而端肅，可以看出晉人書法的風度神韻。是研究晉代書法極可寶貴的墨迹原件。

此帖曾經北宋內府收藏，著錄於《宣和書譜》。明、清又經董其昌等人遞藏，《書畫記》、《平生狀觀》《墨緣彙觀》有著錄。乾隆年間入內府，乾隆皇帝弘曆極爲珍視，將此帖與王羲之《快雪時晴帖》、王獻之《中秋帖》藏於養心殿西暖閣，專門爲此三件墨寶設《三希堂》，常常賞玩其中。清亡後由溥儀携出故宮，復流落民間，一九四九年後，此帖與《中秋帖》流落香港，一九五一年底，國家以重金將兩件國寶收購回來。

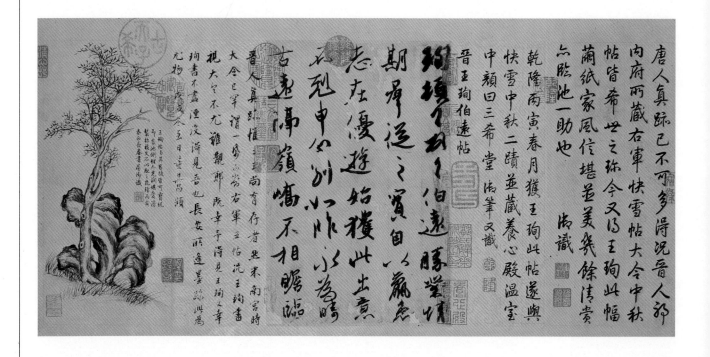

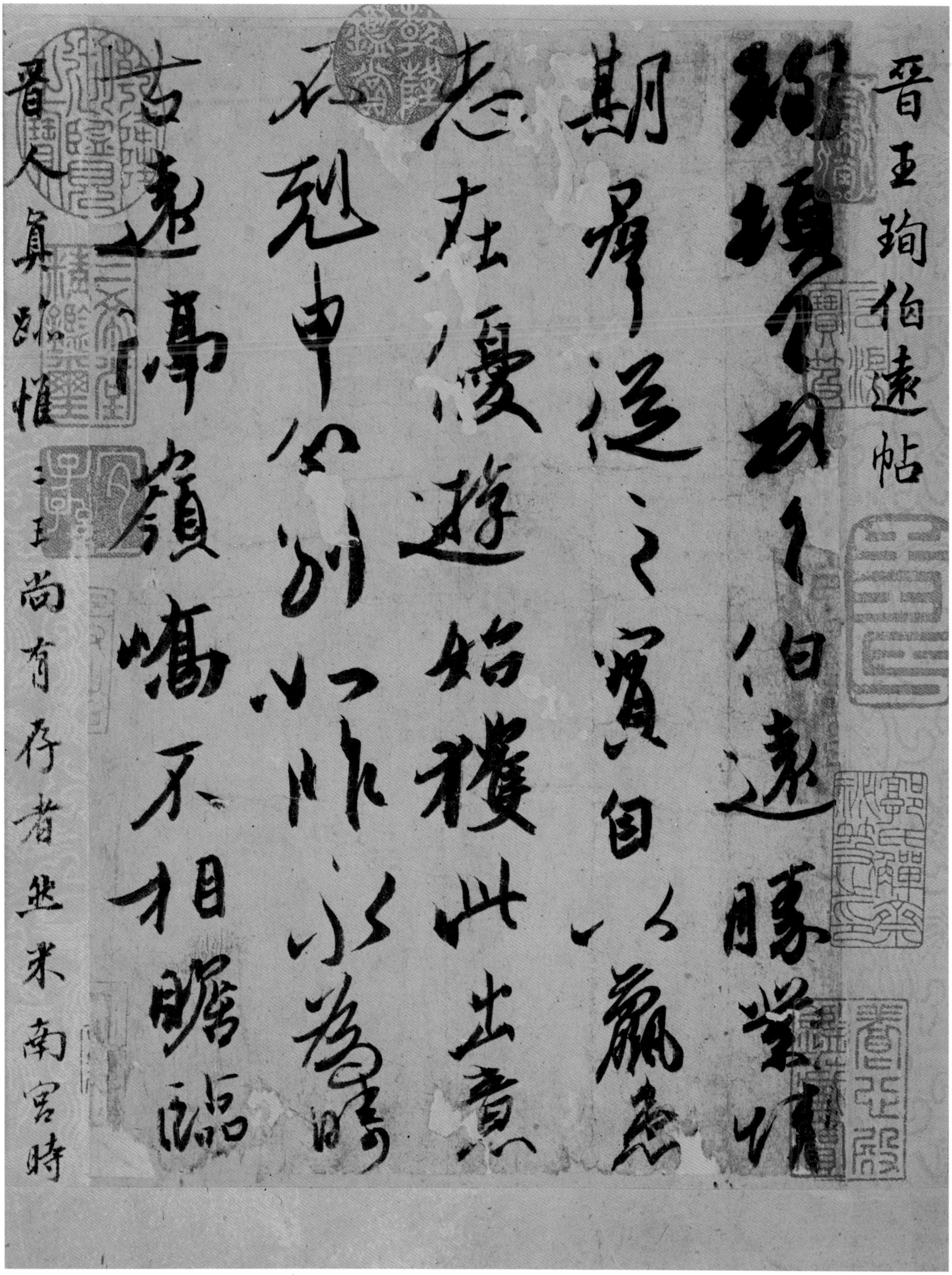

珣頓首頓首 伯遠勝業情
期群從之寶自以羸患
志在優遊始獲此出意
不剋申分別如昨永為疇
古遠隔嶺嶠不相瞻臨

晉人真跡惟王珣尚有存者跋米南宮時

49

14. 張翰思鱸帖

唐
歐陽詢（557－641 A.D.）
紙本
縱25.5厘米
橫33厘米

歐陽詢字信本，潭州臨湘（今湖南長沙）人。他在隋代曾任太常博士，入唐官至太子率更令，弘文館學士，封渤海縣男，博通經史，是唐代大書法家。他的書法師法二王，自成面貌，人稱“歐體”，對後世影響很大。歐體以其結構嚴謹，書體方正，筆畫中時出隸意爲特徵。他的書法是六朝書體到唐代之間的過渡，他開創了唐代楷書的先端，起承前啓後的作用。他與虞世南、褚遂良、薛稷並稱爲唐初四大書家。碑刻有正書《九成宮醴泉銘》、《化度寺碑》、《虞恭公溫彥博碑》、《皇甫誕碑》等。存世行書墨迹有《卜商帖》、《夢奠帖》、《張翰思鱸帖》等。

《張翰思鱸帖》亦稱《季鷹帖》。行楷書十行，每行九至十一字不等。此帖是歐陽詢爲張翰寫的小傳。字體修長嚴謹，筆力剛勁挺拔，風格平正中見險峻之勢，是歐書中的精品。

此帖本幅無名款，後紙有宋徽宗趙佶題一則：“唐太子率更令歐陽詢書張翰帖，筆法險勁猛銳長驅，智永亦復避鋒。鷄林嘗遣使求詢書，高祖聞而嘆曰，詢之書名遠播四夷。晚年筆力益剛勁，有執法廷爭之風，孤峯崛起，四面削成，非虛譽也。”

此帖曾經北宋宣和內府、南宋內府、清內府收藏，見於《宣和書譜》、《墨緣彙觀》、《大觀錄》等書著錄，清乾隆年間刻入《三希堂法帖》。是一件流傳有緒的書苑之珍。

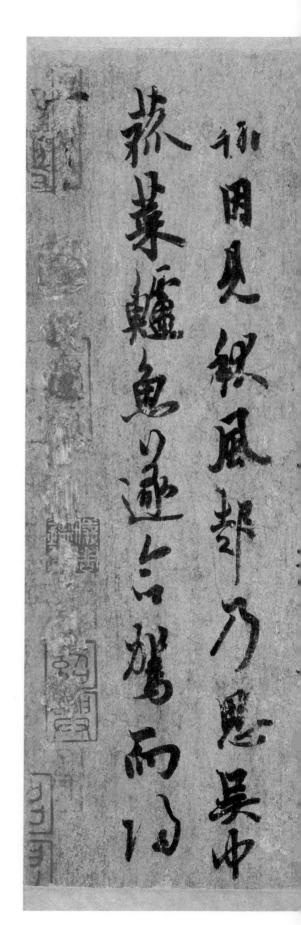

張翰字季鷹吳郡人有
清才善屬文而縱任不拘
時人號之為江東步兵後
謂同郡顧榮曰天下紛紜
禍難未已夫有四海之名者
求退良難吾本山林間人
无望於時子善以明防前

15. 自書詩卷

宋
蔡襄（1012－1067A.D.）
紙本　行書
縱28.2厘米
橫221.2厘米

在書法史上，蘇軾、黃庭堅、米芾、蔡襄被稱爲宋代四大家。其實，蘇、黃、米之後原是蔡京，由於蔡京當權時禍國殃民，很受世人疾視，因此便以蔡襄來代替蔡京。

蔡襄在四家中年歲最長，字君謨，興化仙遊（今福建）人。他的書法取法晉、唐，隸、楷、飛白、行、草均工，尤以行、楷書著稱。對於鍾繇、王羲之及顏眞卿書法的學習下過很深的功夫。他嚴守法度，仿王羲之能做到"形模骨肉，纖悉俱備，莫敢逾軼"。並且最得"唐人形似"。宋徽宗趙佶曾說："蔡君謨書包藏法度，停蓄鋒銳，宋之魯公（顏眞卿）也。"蘇軾也曾稱讚他的書法"天資旣高，積學深至，心手相應，變化不窮，爲宋朝第一"。不過他的書法在"出古入新"方面不及蘇、黃、米三家，但在北宋前期師古風靡的時代，他能集唐名家之長"備衆體而後能自成一體"，其書法藝術的成就在書法史上還是比較突出的。

《自書詩卷》錄詩十一首，是皇祐二年（1050年）十一月，即他被召自福建還汴京北行途中所作。大約於皇祐三年四十歲時所書，是他中年趨於成熟時期的行書典型風格的代表作。運筆沉着圓潤，結體嚴謹穩健，書勢端麗遒勁。開始行中帶楷，逐漸流暢，變爲行草，後來揮灑自如，變爲草書。但整個風格瀟灑俊美中不失端重冲和。是書法藝術中的精品。

此卷後部宋、元諸名家題跋，曾經宋賈似道、清梁淸標等收藏。《珊瑚網》、《吳氏書畫記》、《平生壯觀》、《石渠寶笈三編》等書著錄，也曾刻入《秋碧堂帖》。

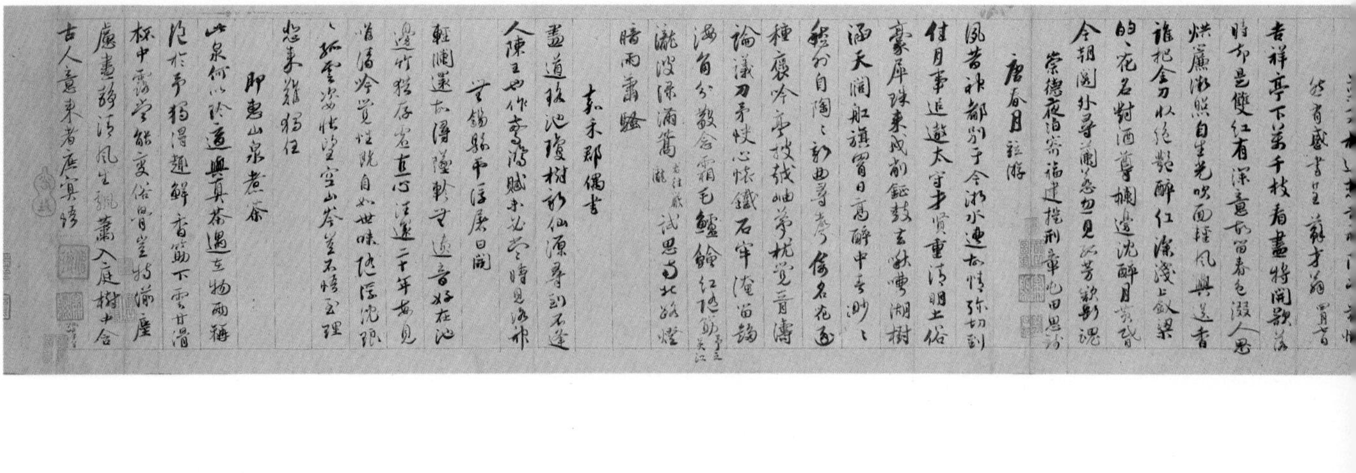

52

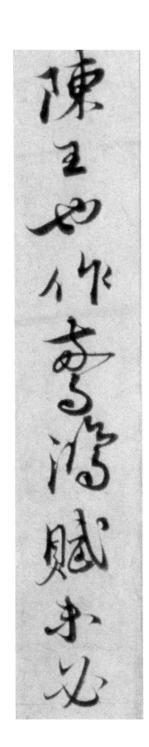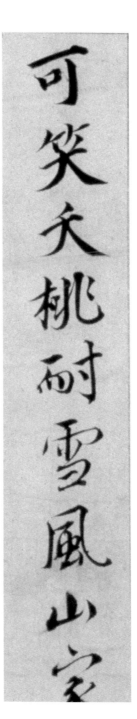

可笑夭桃耐雪風山家

空野軺車猞㹭意行

陳王也作寿鴻賦未必

16. 新歲展慶帖

宋
蘇軾（1036－1101A.D.）
紙本　行書
縱30.2厘米
橫48.8厘米

蘇軾，字子瞻，一字仲和，號東坡居士，四川眉山人。他是北宋大文學家、詩人兼著名書畫家。文學史上舊稱"唐宋八大家"之一。行楷書取法李邕、徐浩、顏眞卿、楊凝式，並上溯"二王"與智永，吸收各家之長，創立新意，自成一體，與黃庭堅、米芾、蔡襄並稱爲"宋四家"。黃庭堅稱蘇軾書爲"本朝第一"。

《新歲展慶帖》是蘇軾行書佳作。用筆暢快淋漓，蒼勁靈秀。書體的筆畫比較豐腴，結字在險中求平穩，這是蘇軾的特點。唐代的書法，如顏眞卿、柳公權等人，以平正、穩重和莊嚴而見長；到宋代蘇軾、黃庭堅、米芾等人，則是追求奇險、活潑和靈秀，因而創造了新意，形成了宋代的書風。《新歲展慶帖》可以說是這一新書風的代表作品。全篇十九行，二百四十餘字，一氣呵成。雖是一封書信，並無半點草率或凝滯，筆隨意轉，自然天成。正如蘇軾自謂"書初無意於佳乃佳爾"。

此帖是蘇軾寫給好友季常（陳慥）的。其內容主要是約陳慥到黃州一會。從內容來看當書於元豐五年（1082年）農曆正月初二，當時蘇軾四十六歲，是他貶官黃州的第三年。元豐四年（1081年），蘇軾請得黃州城東營地數十畝並躬耕其中，在此構築新居，元豐五年正月初新居尚未落成，故蘇軾在信中寫道："竊計上元（正月十五日）起造尚未畢工，軾亦自不出，無緣奉陪夜游也。"望陳慥於正月末到黃州來會。由此可知蘇軾東坡雪堂大約竣工於是年正月下旬。此帖不僅是蘇軾書法佳作，也是研究他的生平及交遊的重要史料。

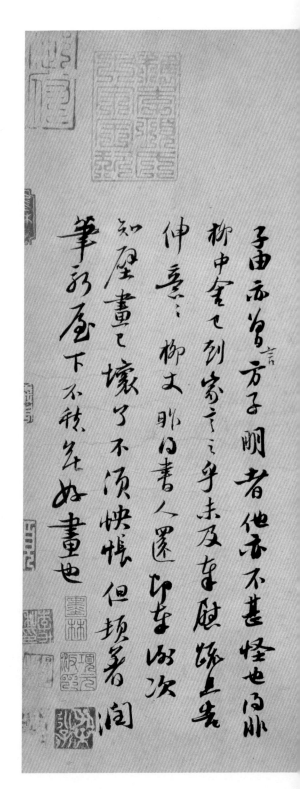

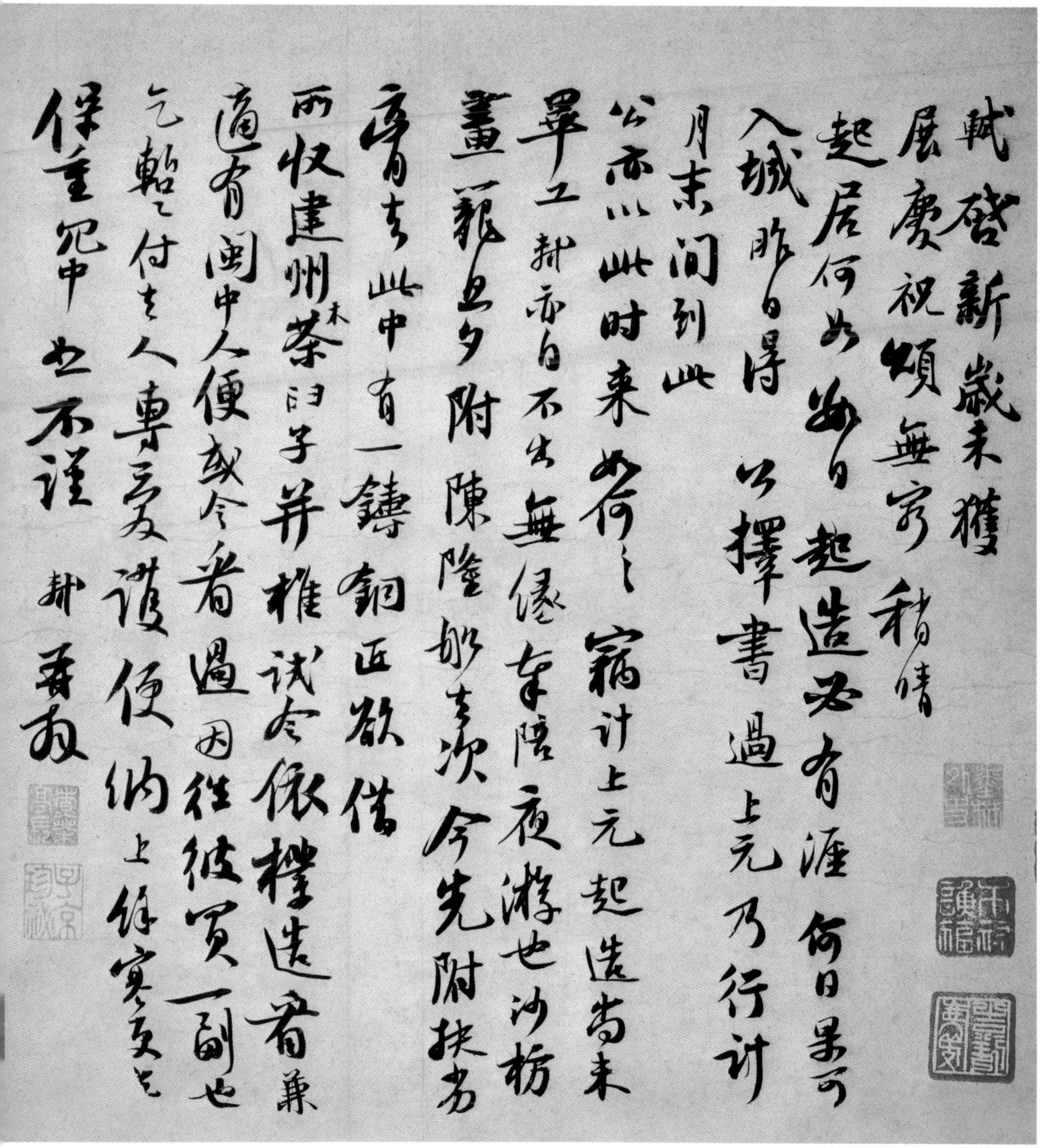

轼启 新岁未獲
展庆 祝 頌無窮 積情
起居何如 每 起造必有涯 何日是毕
入城晚日得 以擇書過上元乃行計
月末間到此
公亦以此時來 如何 竊計上元起造尚未
畢工 豈可不出 無緣 會陰 夜游也 沙枋
畫一紙多 附 陳隆 船去次 今先附 扆書
胥吏 此中有一鑄銅匠 正欲 借
而收建州茶 子並椎試令 依樣造看 兼
適有閩中人便 或令看者 過因往彼 買一副也
乞 封 付吏人 專去 愛護 便 納上 細 寒衾
保重 冗中 也不謹 轼 上

17.詩送四十九姪帖

宋
黃庭堅（1045－1105 A.D.）
紙本　大行楷書
縱35.2厘米
橫130.3厘米

在黃庭堅的大行楷書中，以《松風閣詩》、《詩送四十九姪帖》最能代表他的風格，因而引起學書者的廣泛重視。

黃庭堅，字魯直，號山谷道人、涪翁，分寧（今江西修水）人。英宗治平四年（1067年）舉進士，紹聖初以修實錄不實的罪名被貶。徽宗即位後召還，又因文字招罪，再被貶。後死在宜州(今廣西宜山)，卒年六十一歲，私諡文節先生。

黃庭堅是北宋著名詩人兼大書法家。他的詩文出於蘇軾門下，與蘇齊名，開江西詩派，兼擅行、草書，初以周越爲師，後取法顏眞卿、懷素，並受楊凝式的影響，尤得力於《瘞鶴銘》而自成一家。爲“宋四家”之一。

《詩送四十九姪帖》內容表達了黃庭堅與其姪初見又別，舉觴以“奮發”、“軒昂”共勉的情景。全篇十三行，四十六字，首書標題，後爲五律一首。結字險側奇倔，筆法蒼老勁健，體勢挺拔、縱橫、舒展，浩然之氣溢於紙墨，給人以“快馬入陣”之感。這是黃庭堅在吸取《瘞鶴銘》、顏眞卿、楊凝式等人書法的基礎上取精用弘，自創的一種新的書體。這種新書體最大特點體現在中宮斂結、長筆四展即所謂“輻射式”的結構上，如“奮發”“修”等字。突破了晉、唐楷書方正的外形，以其點畫借讓與誇張的手法，使中宮收斂處顯得堅實茂美，長筆伸展處風神俊逸。黃庭堅晚年行楷書均具有此種特點。

此帖見《石渠寶笈初編》著錄，是宋元寶翰册中之一，曾刻入《三希堂法帖》第十三册，是一件流傳有緒的書法珍品。

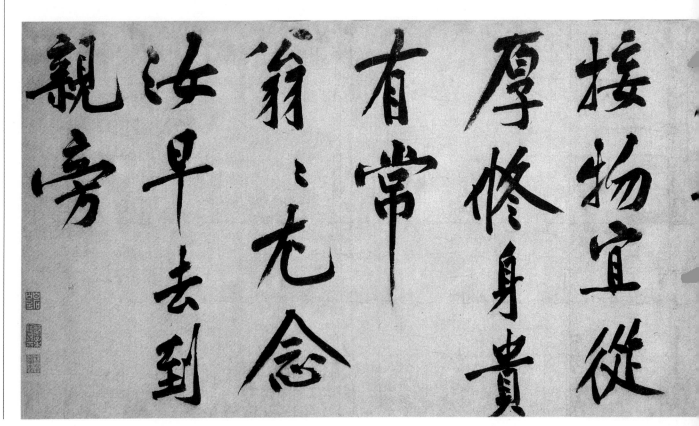

同奮發更

別儔共期

見何湛舉

有娛財貝相

九姪

詩送四十

18. 苕溪詩

宋

米芾（1051－1107A.D.）

紙本

縱30.3厘米

橫189.5厘米

米芾（初作黻）號海岳外史，襄陽漫士等。原籍襄陽人，居潤州（今江蘇鎮江），享年五十七歲。徽宗朝曾官至書畫學博士、禮部員外郎等。他是北宋末年最著名的大書畫家之一，與蘇軾、黃庭堅、蔡襄合稱爲宋代四大家。在書法史上佔有重要地位，其影響及於宋、元、明、清以至現代。

米芾的書法繼承晉、唐傳統，特別對於"二王"（羲之、獻之）和歐陽詢、褚遂良書法的臨學下過很深的功夫，並能吸收諸家之長，融會貫通，自立門戶。正如他自己所說："壯歲未能立家，人謂吾書爲'集古字'，蓋取諸家之長總而成之。旣老，始成家，人見之不知以何爲祖也"。道出了他在繼承和創新問題上的必由之路。因此他能"每出新意於法度之中，而絕出筆墨畦徑之外"（孫覿語）。所以他的書法在當時就被評爲"如快劍斫陣，強弩射千里，所當穿徹，書家筆勢亦窮於此"（黃庭堅語）。

《苕溪詩》是米芾中年書法代表作，書於元豐三年（1080年）八月，當時米芾三十八歲。從詩句內容得知，那時他在太湖一帶漫遊，經蘇州、無錫等處而舟行抵達吳興。此卷是在無錫將要出發去吳興之前寫的。行書五律詩六首，共三十四行，通篇一氣呵成，行氣疏朗中見嚴密，錯落參差而又渾然一體；書勢奇險中見穩重，雖結字多有傾側，但字字都能把握重心而"追險得夷"。用筆秀勁中見蒼渾，筆筆不同、重輕不同，千變萬化，達到了"瘦不露骨"，"肥不剩肉"，天眞、自然的最佳境界。可以說它是米芾書法藝術中的傑作，代表了米書的典型風格。

此卷爲清內府原藏，溥儀出宮時携往長春，僞滿覆滅時散出。卷中"念養心功不厭"六字殘失，"載酒"二字半損，原有李東陽篆書大字引首和卷末項元汴題記均已失去。一九六三年故宮收得此卷，重裝時由本院鄭竹友先生根據未損時的照片將米書缺字補全。

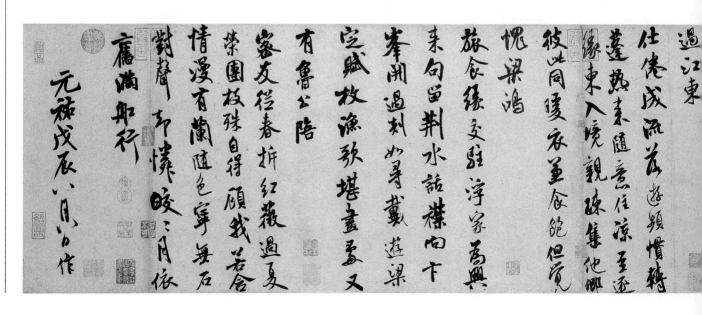

將之苕溪戲作呈
諸友
襄陽漫仕黻
松竹留因夏溪山去為
秋久賡白雪詠更度采
菱謳縷會玉鱸堆案
團金橘灔洲水宮無限
景載與謝公遊

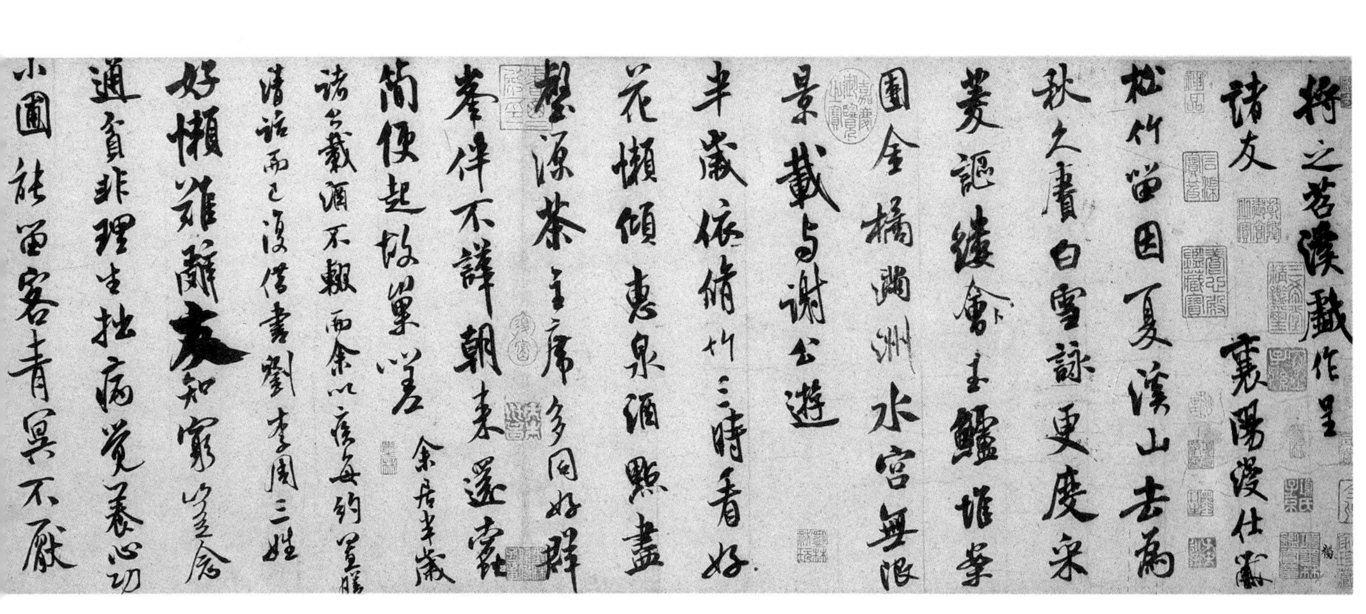
將之苕溪戲作呈
諸友
襄陽漫仕黻
松竹留因夏溪山去為
秋久賡白雪詠更度采
菱謳縷會玉鱸堆案
團金橘灔洲水宮無限
景載與謝公遊
半歲依脩竹三時看好
花懶傾惠泉酒點盡
壑源茶主席多同好群
峰伴不譁朝來還蠹
簡便起故巢嗟
余居半歲
諸公載酒不輟而余以疾每約置膳
清話而已復借書劉李周三姓
好懶難辭友知窮豈念
通貧非理生拙病覺養心功
小圃能留客青冥不厭

19. 洛神賦圖

東晉
顧愷之（345－406 A.D.）
絹本 設色
縱27厘米
橫572厘米

顧愷之是中國繪畫史上第一位有作品可考的著名大畫家。他多才多藝，除擅長繪畫外，還工詩賦、書法，而且爲人風趣、有大度，故一時譽爲“才絕、畫絕、痴絕”。

顧愷之最善畫人物，兼及山水、禽獸，曾創作過不少道釋壁畫。他的畫法被稱爲“密體”，特點是綫條“緊勁聯綿，循環超忽”，如“春蠶吐絲”，“春雲浮空，流水行地”，輕盈、流暢、優美、動情。

這卷《洛神賦圖》，雖爲宋人摹本，但其畫法，仍然保持着顧氏原作的特點及六朝遺意。自宋以來，流傳有緒，是了解顧愷之藝術成就極爲可貴的資料。

《洛神賦》卷，取材於三國曹植著名的《洛神賦》。原作運用神話寓言的手法，描寫詩人在洛水邊與洛水之神的邂逅，以寄托他對不能相結合的情人的傷懷和思念。顧愷之採用了手卷的形式，主要人物——洛神和曹植在畫中反覆出現，以一幅幅連續的畫面，展現了故事的全過程。整卷《洛神賦圖》不但非常準確而恰當地表達了原賦的內容，而且在藝術手法上，也

和原賦精神一致，通過畫面的形象，成功地表達了賦中思想感情。這是一種在文學作品的基礎上的再創造。

畫卷開首，描繪曹植在侍從簇擁下，來到洛水邊。遙遙望見他所苦戀的、美麗的洛水之神，出現在泛起微波的水面上。洛神梳着高高的雲髻，衣帶被風吹起，邁着輕盈的步履，回首反顧岸邊，似欲去還留，欲行還止。其形體刻劃的優美，恰如賦中的描寫，“穠纖得中，修短合度”；其動態情思，正是“步踟躕於山隅”的再現。洛神的周圍，水中盛開荷花，岸上是青松秋菊，天空有日月、游龍、鴻雁，這些都是賦中用以比喻洛神美麗的事物，顧愷之在畫中，一一描繪出來，使賞畫者及時聯想起賦中的句子；同時，也取得了畫面的裝飾效果，增添了故事的神話色彩和夢幻氣氛。此後按賦的叙述發展，洛神反覆地在畫中出現。最後，她駕着六龍雲車，消失在雲端。這一段的描寫很鋪張，富於想像；顧愷之的描繪也很精彩，雲與水相間相聯，各種神話中的動物形象奇異，賦色華麗，洛神坐在雲車之上，仍然反顧着後方，表現着依依不忍離別的神情。最後，畫面描繪曹植御舟去追趕洛神。繼之坐在岸邊秉燭待旦，以期洛神的再現，終竟無可奈何駕車歸去。

《洛神賦圖》在技巧技法和形象創造上，繼承了漢代的傳統，尤其是畫中那些神話中的形象，如太陽中有三足烏鴉，水中的游魚等，自然會令人聯想到西漢帛畫和漢代的墓室壁畫。但是《洛神賦圖》綫描的精細，造型的準確，通過人物間的相互關係和環境的渲染所表達的感情色彩，卻又大大超過了漢代的繪畫水平。當然，表現在山水畫方面，“水不能容泛”，“樹如申臂布指”，不及後來的進步，代表着六朝的時代風格；而這一點，正使我們相信，它的原作是顧愷之所創造的。

20. 列女仁智圖(部分)

東晉
顧愷之（345－406 A.D.）
絹本 淡設色
縱25.8厘米
橫470.3厘米

《列女仁智圖》是根據漢代劉向所撰《列女傳》而創作的。原稿向傳爲顧愷之所作。《列女圖》這題材由來很古。在漢代畫像石和出土的北魏漆畫中，都可以見到。這卷《列女仁智圖》爲宋人摹本，中有缺損。但此卷雖是摹本，依然保存着六朝時代風韻。而且，在一定程度上反映了顧愷之的藝術水平。

《列女仁智圖》上現存二十八個人物。列女有楚武王夫人鄧曼、許穆夫人、曹負羈妻、孫叔敖母、晉伯宗妻、衛靈公夫人、魯漆室女、晉羊叔姬等八名，按理還應有齊靈仲子和晉范氏母，因殘損不存。這些古代婦女之所以受到表彰，皆因她們的道德或才能卓識，可爲其他婦女作爲學習的榜樣。顧愷之在表現這一題材內容時，繼承了漢代的同類題材的平列構圖佈局法。除少數道具外，沒有任何背景，這一點更多地保存了"古法"。但是在人物的面像和姿態上，卻加强了動勢和內心活動的刻劃；在人與人的關係上，加强了故事的內在聯繫。如衛靈公夫人一段，就非常生動。衛

靈公和他的夫人南子夜坐，突然聽到闕門外有車子的聲音，南子說這是伯玉來了，靈公問何以知之，南子答道："君子不爲冥冥墮行，伯玉，賢大夫也，是以知之。"等人進來一看，果然是蘧伯玉。畫中衛靈公坐於屏風內，身子向前傾斜，右手抬起，正是問話的姿態。南子一邊侍候，端正姿勢，正準備回答問題。從姿態的動勢和面部表情，可以看出她對自己的判斷充滿着信心。又如孫叔敖母一段，描寫孫叔敖殺死兩頭蛇自知必死，哭着向母親叙述，其神態有着孩子受了委屈的幼稚特點。其母則刻劃得不唯外表美麗，衣着華貴，而且面相慈祥、和善。這就把一個有身分和有賢德遠識的婦女，表現得十分充分。在中國古代繪畫理論中，顧愷之首先提出了"以形寫神"的觀點，在其著作中，總是反覆地强調人物畫表現人物的精神狀態和性格的重要性。在這一卷畫中，可以看到，在創作的實踐中，他也是在努力追求這一主張的體現，並且成績突出。

妻知且亡數諫伯宗畢辛
以兔咎狭伯宗遇禍卅眔肴荆

靈夫人
衛靈公

伯宗浚人妻知且亡數諫伯宗畢辛
屬以州黎以兔咎狭伯宗遇禍卅眔肴荆

21. 遊春圖

隋（581－618 A.D.）
展子虔
絹本　青綠
縱43.0厘米
橫80.5厘米

展子虔，渤海（今山東陽信）人，生卒年不詳。歷仕北齊、北周和隋。善畫道釋、人物、鞍馬，尤長畫宮觀臺閣和山水。是一位承前啓後、繼往開來的繪畫大師，與晉顧愷之、劉宋陸探微、梁張僧繇並稱爲"顧、陸、張、展。"他的山水畫爲初唐李思訓、李昭道的"金碧"山水開創了端緒；人物畫被視爲"唐畫之祖"，在畫史上佔有突出的地位。

《遊春圖》曾經北宋宣和內府收藏，由徽宗趙佶題簽爲《展子虔遊春圖》，後又經元、明、清諸名家的題跋遞藏或著錄。是一件流傳有緒的希世之珍。在體現早期山水畫的形成和發展方面具有極爲珍貴的藝術價值和歷史價值。

《遊春圖》是一幅描寫自然景色爲主的青綠山水，表現人們春天出遊的情景。畫家在不大的絹幅上以妥善的經營、細勁的筆法和絢麗的色彩，畫出了青山疊翠、花木葱蘢、波光粼粼的湖山佳景。湖心一艘高篷遊艇在碧波中遊弋，三位女子據艙而坐，在欣賞湖山佳趣；一梢公從容不迫地搖櫓，船緩緩前進。湖邊數人，或乘遊騎或漫步山間小道，或袖手停於湖邊。畫家通過對各種自然景物和人物細緻生動的描繪，成功的突出了"遊春"這一主題，使畫面洋溢着煊熾活潑的氣氛，具有詩一般的境界，給人以強烈的藝術感染。

《遊春圖》的藝術表現手法，具有明顯的早期山水畫的特點。構圖已擺脫了魏晉以來"或水不容泛，或人大於山，率皆附以樹石映帶其地，列植之狀若伸臂布指"的佈景方式，而是以山水作爲主體，人物作爲點景的純山水畫的手法處理畫面。圖中各種物像的形態及互相關係、大小比例、遠近透視、前後層次以及空間關係等處理得都較妥貼。畫家把作爲畫面重心的主要山巒、樹石、建築及人物活動安排在絹幅的右部偏上方，山勢隨着山脈的自然走向逐步往左展開，愈遠愈小，消失在水天之際；一潭湖水，隨着微風拂起魚鱗般的細浪向左上方延伸，愈遠愈淡，直與遙天溟然相連。爲了使畫面更具穩定性，又在左下角佈置了一處山莊，加以承接，做到了首尾相應，開合有度，意境深遠，給人以"咫尺千里"之感。在筆墨技巧上，還保留了魏晉南北朝繪畫的某些遺風。如畫山石祇勾勒

烘色，而無斫和皴的運用；畫樹幹只用空勾界兩筆而不畫皮鱗；畫松葉不細寫松針，只以細綫勾出輪廓再以苦綠審點；山間花木多用鹿角枝而缺乏穿插、交錯和掩映等等。正如唐張彥遠所說："楊（契丹）、展精意宮觀，漸變所附。尚猶狀石則務於雕透，如冰澌斧刃；繪樹則刷脈鏤葉"。這表明早期山水畫家雖已改變了前代的表現手法，將山水畫推向獨立的階段，但由於畫家對自然物像的觀察和藝術表現能力還受到藝術本身發展規律的制約，因此在筆墨技巧上很自然地顯現出早期山水畫的稚拙和古樸。然而，從《游春圖》中也可以看出山水畫從它的幼年開始向青壯年時期轉

化的一些跡象，注意了物像的不同形質而採用不同的表現筆法。

在設色方面，也保留一些古雅樸拙的風格，但已經注意到各種色彩的合理使用。整個畫面古樸典雅，金碧輝映。明代鑑藏家詹景鳳曾說，此畫"始開青綠山水之源，似精而筆實草草，大抵涉於拙未入於巧，蓋創體而未大就"。山水畫後經唐李思訓父子及吳道子、王維等人的繼承和發展而日趨成熟，達到了"諸體皆備"的程度，歷經五代、宋、元、發展到高峯，這與早期山水畫家開闢的途徑是分不開的。

22.步輦圖

唐
閻立本（601－673 A.D.）
絹本　設色
縱38.5厘米
橫129.6厘米

閻立本是一位以丹青馳譽的唐代宰相。他的繪畫，在初唐時期有着特殊的地位，是盛唐畫風的開創者，被評爲"六法該備，萬象不失"，"位置經略，冠絕古今"。他擅長人物畫，曾爲當時皇宮畫過不少的畫。如：《秦府十八學士圖》、《凌煙閣功臣圖》、《異國來朝圖》等。可惜這些圖畫早已湮沒無存，幸而有《步輦圖》傳世，得以略窺閻氏的藝術風格和成就。

《步輦圖》描繪的是貞觀十五年（641年）正月，唐太宗會見吐蕃（今西藏地區）贊普松贊干布派來迎娶文成公主的使者祿東贊的情景。文成公主遠嫁吐蕃，在中國多民族的國家中，表現了民族友好關係，是一件有歷史意義的大事。

畫的右方，唐太宗坐在由六位宮女擡着和扶着的"步輦"上，另有三個宮女掌着傘、扇。畫的左邊共有三人。紅衣虬髯者，可能是宮中的典禮官。白衣年少者或爲譯員。二人中間則爲祿東贊。

《步輦圖》最突出的是能生動而具體地表現了因人物的身分、性格不同而有不同的精神氣質。典禮官沉着老練；譯員因地位低微顯得有些拘謹惶恐；其中，尤以唐太宗和來使祿東贊刻劃得最成功。

卷中的唐太宗李世民的形象，先用墨綫勾出輪廓，眉、鬚、髮都一根根描出，然後用色渲染。眼睛向前平視，表情莊重。衣紋用筆簡練沉着，渲染不多。整個形象魁武、英俊。閻立本和唐太宗長期相處，對他比較了解。參照有關李世民的歷史記載，可以看出畫家不僅描繪了李世民的外形特徵，也表現了他的氣質和風度。祿東贊身穿小團花藏族服裝，拱手肅立。那寬闊的前額，有着深刻的皺紋。不但表現他遠道而來，僕僕風塵；也刻劃了他的民族的面貌特徵。他表情嚴肅、誠懇，既表現了他對唐太宗的崇敬，也刻劃出他自我意識到所肩負的使命的重要。

此畫絹地重設色，用筆沉着，恰到好處地表現了這一莊重的場面。流利的鐵綫描，表現了綢緞衣裳的質量感。團花的描繪眞實而華麗，也幫助祿東贊這一人物在畫面上的突出。

23.揮扇仕女圖

唐（618-907A.D.）
周昉
絹本　設色
縱33.7厘米
橫204.8厘米

周昉，字仲朗，京兆（今陝西西安）人。擅長於宗教壁畫、人物肖像畫和仕女畫。他畫的宗教壁畫，在當時被稱為"周家樣"。仕女題材的繪畫則繼承了張萱的傳統，所描繪的貴族婦女形象，體態豐腴，反映着唐人的審美趣味，《揮扇仕女圖》即代表這一種風格的作品。

《揮扇仕女圖》，共畫有九個有身分的宮廷貴婦，另二個侍婢，兩個內監，計共十三人。她們或兩個、或三個為一組。這些婦女，穿着華貴的衣服，有內監和宮女們侍候，從物質生活來說，可謂身在"天堂"。然而她們却個個愁眉不展，百無聊賴，度日如年，從精神生活來說，却是極端貧乏的。畫家正是通過這些宮廷貴婦的羣像刻劃，揭示了這種矛盾，對這些婦女的不幸，寄予無限的同情。

為了揭示主題，作者對這批宮廷貴婦的形象刻劃極為生動傳神。細膩地通過面部和動態，以表現人物

內心的活動。例如卷首第一位坐在椅子上的婦女，她的身子好像一攤軟泥，那困倦慵懶的神態，似乎午睡猶未足。手中的小扇閒置不用，却教內監給她揮動着大扇。這一切既說明她身分的高貴，享受着人間的富貴尊榮，然而却是極度的精神空虛與苦悶。那位坐在刺繡棚架一端的婦女，右手持扇倚靠着棚架，左手抱着扇頭托着香腮，微彎着身子，低頭不語，雙眉緊鎖，顯然是陷入了極度的苦悶之中。宮廷婦女的刺繡，本來並不是為了生產，只不過借以消磨歲月，打發光陰，連這一點她都缺乏興趣，懶於拈針引綫。卷末兩個婦女的刻劃，更是神來之筆。其一只見背影，微仰着頭，隨意搖動着手中的小扇，這扇子也是她們用來消愁解悶的工具。這扇子的搧動，似乎體現出她將這宮中的一切已經看透，已經看慣，因而泰然處之的心境。所以畫家從背影去表現動作，顯得好像是那麼"瀟洒"，那麼"超脫"。與這個婦女形成鮮明對照的是那個倚靠着梧桐的婦女。她顯得那麼嫩弱，心緒十分焦燥不安，對目前的一切，她實在難以忍受了。畫史上記載，周昉曾與韓幹同時都為郭子儀的女婿趙縱畫了一張肖像，都畫得很像，一時難以分出優劣。後來郭子儀的女兒回來，郭子儀問她哪一幅好，她當然最熟悉自己的丈夫，便說周昉畫的不但形似，而且兼得神氣，這樣才判明了誰畫得更好了。我們從《揮扇仕女圖》中，完全可以體會到周昉當時為趙縱所畫的肖像，是如何的精彩了。

24. 五牛圖卷

唐·韓滉(723-787A.D.)

紙本 設色

縱20.8厘米

橫139.8厘米

唐代是中國繪畫藝術空前繁榮的時代，在繼承晉、隋優秀傳統的基礎上，大胆創新，各種流派和風格應運而生，題材的廣泛和反映內容的深度，都達到了一個新的高峯，一時名家輩出。如閻立本的表現重大政治、歷史事件的人物、肖像畫；李思訓父子的"金碧"山水畫；王維的水墨山水畫；吳道子的人物佛像畫；張萱、周昉的宮廷仕女畫；曹霸、韓幹的馬；戴嵩、韓滉的牛；邊鸞的花鳥等等。但唐代傳世作品至今已很少。韓滉《五牛圖》卷是少數幾件唐代傳世紙絹畫作品真跡之一，也是現存最古的紙本中國畫，因而受到廣泛的重視。

韓滉，字太沖，長安（今陝西西安）人，宰相韓休之子。貞元初，官檢校左僕射同中書門下平章事、兩浙節度使等職。封晉國公。政治上主張國家統一，獎勵農耕。曾參與平定藩鎮叛亂。韓氏兼工書畫，草書得張旭草法，繪畫遠師宋（南朝）陸探微。其繪畫作品的主要內容，多為描繪農村生活為題材的風俗畫，寫牛、羊、驢等尤佳。他的風俗畫在接觸生活的廣度和深度上，比之張萱、周昉所表現的綺羅人物截然不同。他把選材重點從宮廷、豪門生活擴大到農村，這在中國風俗畫發展中是一大進步。

《五牛圖》畫在一幅窄而長的白麻紙上，五牛姿態各異，神形逼肖。畫家表現了牛的左右前後各面的形象以及常見的動態。用極為簡潔的近景構圖，除了一叢荆棘之外，不設任何背景。着重於突出牛的既倔彊又溫順的性格。其次在筆法上用粗壯雄健而富於變化的綫描以表現牛的骨骼和筋肉，只在牛頭生角處及牛尾用輕柔的筆法畫出根根細毛。以赭、黃、青、白等着重於表現五條牛毛色的不同。而且根據牛體的凹凸渾然深淺不同的顏色，有很強的立體感。顧愷之曾有"傳神寫照，正在阿睹中"，他指的是畫人像，"點睛"是牽動全局的關鍵。而韓滉把這一理論用於畫牛，他把牛眼適當的加以誇大，着意加以刻劃，五牛瞳全都烱烱有神，達到形神兼備的高度藝術境

74

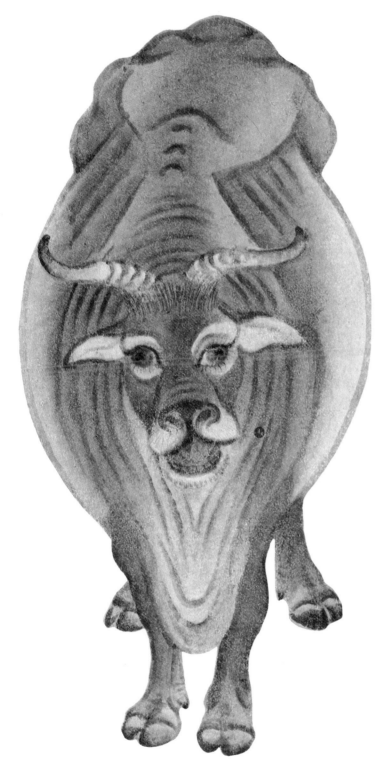

界。給人以強烈的藝術感染。因此元代大畫家趙孟頫在後幅的題跋中稱"五牛圖神氣磊落，希世名筆也。"元孔克表在題跋中稱此圖"天機之妙宛若見之於東阜西壟間，亦神矣哉！"明李日華在《六研齋筆記》中也譽此卷"神氣溢出如生，所以為千古絕跡也。"這些評論絕非過譽。韓滉之所以得到這樣的評價，不僅是技法高超，還因為他對牛的生活非常熟悉，才能得心應手的留下這樣的神品。

此圖曾經南宋內府收藏，元代初為趙伯昂藏，旋歸趙孟頫，後有趙氏三跋，延祐間歸元內府太子書房，至正間有孔克表題。明代為項元汴收藏，天啟四年歸汪珂玉，不久又售出。清乾隆年間收入內府，尚有項元汴、世鈺、金農及清高宗弘曆等跋。曾經《清河書畫舫》、《六研齋筆記》、《珊瑚網》、《大觀錄》、《石渠寶笈續編》著錄。一九○○年八國聯軍佔領北京時，此圖原藏西苑（即中南海）春耦齋，在動亂中輾轉流出海外，一九五○年以後由國家以重金從香港收回。

25. 韓熙載夜宴圖

五代(907-960A.D.)
顧閎中
絹本 設色
縱28.4厘米
橫335.5厘米

南唐中書舍人韓熙載是個很有才幹而不拘禮法的人，好聲色，家裏蓄養了許多歌舞伎，常邀集賓客，專爲夜飲。後主李煜想了解這一情況，就派畫家顧閎中到他家中去窺探。顧氏通過目識心記，回來後畫了一張畫向後主交差，這便是傳世有名的《韓熙載夜宴圖》。

《韓熙載夜宴圖》採用了顧愷之《洛神賦圖》的表現手法，主人公韓熙載在畫中反覆出現五次，也就是通過五個場面而敘述夜宴的全過程。第一段"聽樂"，是全畫出場人物最多最全的一段。長髯戴高紗帽盤膝坐於榻上者即韓熙載。他微低着頭，手無力地置於膝。他在聽樂而不是全神貫注，顯得心事重重，這和坐在他身邊穿紅衣服的狀元郎粲成鮮明的對照。郎粲年輕，姿

態瀟灑，既在聽樂，也在欣賞演奏者。熙載身前一正面和一側坐的兩個賓客，大約就是太常博士陳致雍和紫微朱銳。他們完全投入樂曲所創造的意境中。從他們那深鎖的雙眉和緊閉的嘴唇來判斷，演奏着的決不是一首輕快的消遣曲調。正彈琵琶的女子是教坊副使李家明的妹妹，與她相鄰而回首反顧的是李家明。李家明旁邊一個身材瘦小的少女名王屋山。王屋山擅長跳六么舞，與李家明的妹妹最受熙載的寵愛。另外兩青年，一是熙載的門生舒雅。其他女子爲歌舞伎。這段畫面的構圖安排，將演奏者置於　邊，聽衆集中另一邊，突出地描寫一個"聽"字。刻劃出在聽同一首樂曲當中，不同身分地位性格的不同心理反映。體現出畫家觀察生活的細緻及高超的造型手段。

第二段"觀舞"。韓熙載親自擊鼓爲王屋山伴奏。郎粲仍然是那種沉醉於欣賞舞姿的神態。其他的人，或拍板，或擊掌，都在歡樂中。唯獨那個和尚，雙手抱於胸前，低頭不語，若有所思。以他的身分，在這樣的場面出現，已經是很不協調，何況這副嚴肅的表情。畫家把他描繪下來，是頗含深意而發人深思的。據記載，韓熙載有一個最好的和尚朋友叫德明。當李後主要請熙載出來爲宰相時，德明曾問他何以躲避國家的命令？熙載回答說："北方的勢力正在強大，一旦眞主出來，江南就會棄甲不暇，我不能去當這個亡國宰相爲千古笑端。"畫中很可能就是這位德明和尚。文獻沒有記載德明對韓熙載回答的反映，從畫中的形象來看，他顯然對韓熙載所過的生活方式是有所規勸的，面

對此情此景，他的沉思也許是在想到，南唐眞的快要滅亡了。以後各段，分別是"休息"，畫韓熙載洗手休息；"清吹"，畫韓熙載坐聽眾伎吹奏；"送別"畫韓熙載賓客與諸伎調笑的情狀。作者採用分段敘述的佈局，段落之間，利用室內陳設之一的屏風作爲間隔，又以人物顧盼作爲聯繫，使之既有分段又成爲不可分割的整體，自然而又巧妙。整個畫面，用精細的鐵綫描，筆力勁健，準確地塑造了各種物像的外形和質感。設色明麗，勻薄和厚重，錯綜變化，五光十色，恰到好處地表現出夜宴場景的豪華奢麗和歡樂氣氛。《韓熙載夜宴圖》在人物塑造和心理刻劃上，在綫描技巧、構圖佈局和設色上，都標誌着五代時期人物創作的最高水平。

26.高士圖

五代（907-960A.D.）

衛賢

絹本　淡設色

縱135厘米

橫52.5厘米

　　衛賢，南唐宮廷畫院畫家，擅長畫樓臺殿宇、盤車水磨及人物山水等，初學尹繼昭，後師法吳道子。《高士圖》是衛賢流傳至今的唯一作品。

　　《高士圖》描繪的是東漢梁鴻與孟光的“相敬如賓，舉案齊眉”的故事。不過畫面內塑造孟光的形象並非如文獻所說的醜陋，當然也不是位美人，這是既不脫離史實而又符合人們審美意願的藝術處理。

　　這幅畫雖然以歷史人物故事為主題，但人物在畫中並不佔主要部位，而是以山水為主體。整個山峯樹石和房屋的佈置，緊湊嚴密。坡石、樹幹的皴法，帶有某些北方畫家如荊浩、關同的特點，衛賢原是長安

（今西安）人，受他們的影響是有可能的。

　　對衛賢畫的山水，《宣和畫譜》的作者曾批評“其為高崖巨石，則渾厚可取，而皴法不老，為林木雖勁挺，而枝梢不稱其本，論者少之。”拿這段話與《高士圖》中的山水樹石相比較，似乎批評過當。此畫中的房屋及其臺基和籬笆、柵欄，是界畫手法，非常精細合度，也代表了衛賢在繪畫中的擅長。關於這一點，孫承澤在《庚子消夏記》中說：“畫家言宮室入畫，須折算無差，乃為合作，束於繩矩，筆墨不可以逞，稍涉畦珍，便入庸匠，故自唐前不聞名家，至賢始工，今觀其畫信然。”

27. 瀟湘圖卷

五代
董源（？－962A.D.）
絹本　設色
縱50厘米
橫141.4厘米

董源，字叔達，鍾陵（今江西進賢）人，五代南唐後院副使，人稱"董北苑"。他創造了具有獨特風格的"江南畫派"，爲我國山水畫的發展開闢了新的蹊徑，對後代特別是元、明、清的影響極爲深遠。在畫史上佔有極爲重要的地位。

五代時期，中國山水畫的發展已進入成熟期。許多畫家在繼承唐代山水畫傳統的基礎上，通過深入觀察真山真水，創造了具有鮮明特色的山水畫作品。其代表性畫家有北方的荊浩及其弟子關同；南方則有董源及其弟子巨然。荊、關以太行及關中一帶的山水爲依據進行創作，善於以全景式的構圖描繪大山大水，巉岩陡壑，層巒疊嶂，表現了北方山水雄偉峻厚的氣勢。他們並根據北方山水少土多石的特點創造了"勾"、"皴"、"渾"、"點"並用的筆墨技法。其作品給人以博大、雄厚的感覺。荊浩傳世作品《匡廬圖》、關同傳世作品《關山行旅圖》即是其典型。董、巨則描繪南方山水，善於表現草木蔥蘢，秀潤多姿的江南湖山平遠景色。他們根據南方多土、多樹的特點，創造了細長的"披麻皴"或"點子皴"，其作品給人以"平淡天真"的感覺。董源的《夏山圖》、《夏景山口待渡圖》、《瀟湘圖卷》，巨然的《秋山問道圖》是他們的傳世代表作。

董源《瀟湘圖卷》，畫面上重山復嶺，林巒深蔚，煙水微茫，扁舟蕩漾；幾處沙磧平坡，其間蘆荻叢叢，水草簇簇，顯現出一片江南景色。畫中還有不少人物活動：江流一舟正在徐徐靠岸，舟中六人，身分各異；岸上有人迎接，前面是五人樂隊，面對來舟各奏笙管簫瑟；後面平坡處女子三人，二人着紫衣佇立，一

人攜簍回顧。遠處有漁艇數艘,往來於沙汀蘆渚間,對岸數人正在拉網捕魚,人物雖小但意態生動。這些都使畫面具有濃厚的生活氣息。此畫的內容,據明末董其昌在題跋中說,是根據"洞庭張樂地,蕭湘帝子遊"這兩句詩來畫的。構圖用平遠法,近水遠山,天真平淡中略有幽深之趣。畫山石以花青運墨,人物施以重彩,巒頭及樹木多用"點子皴"法,坡岸山角多用"披麻皴"畫成,整個畫面顯現出一種奇古渾厚的氣氛。其遠近明晦處更是趣味無窮,畫家用他那高超技藝,恰當地表現了江南山川的容姿。面臨此畫,宛如置身於吳山楚水之中。

《蕭湘圖卷》輾轉流傳。清代入內府,溥儀出宮時帶往長春,抗戰勝利後流落民間。一九五二年以重價從香港收回,現藏於故宮博物院。

28. 寫生珍禽圖

五代
黃筌（903？—965 A.D.）
絹本　設色
縱41.5厘米
橫70厘米

中國的花鳥畫，經唐代而成爲獨立畫科，到五代已成熟而且蓬勃發展。這期間，黃筌可說是一個劃時代的人物，他的花鳥畫，是這時代新水平的代表。

黃筌，字要叔，四川成都人，五代時西蜀王、孟兩家宮廷中重要畫家。他的畫能廣收博採，集衆所長。"花竹師滕昌祐，鳥雀師刁光胤，山水師李昇，鶴師薛稷，龍師孫遇；然其所學，筆意豪瞻，脫去格律，過諸公爲多。"他作畫態度謹嚴，"所畫，不妄下筆"，並且善於構思。他的花鳥畫的內容，多數是宮廷苑圃中的珍禽、瑞鳥、奇花、怪石，所畫各種禽鳥形象，生動而眞實。畫法勾勒精細，設色穠麗，與同時期在南唐的另一花鳥畫家徐熙的作品，從題材內容到技法風格，形成了鮮明的對照，被評爲"黃家富貴，徐熙野逸"。這兩種風格，一直影響着以後的中國花鳥畫的發展。

《寫生珍禽圖》是目今存世的惟一可信的黃筌作品。畫面上共畫有十隻品種、動態不同的鳥，兩隻龜，十二隻昆蟲。牠們均勻地散佈於絹素上，互相之間，沒

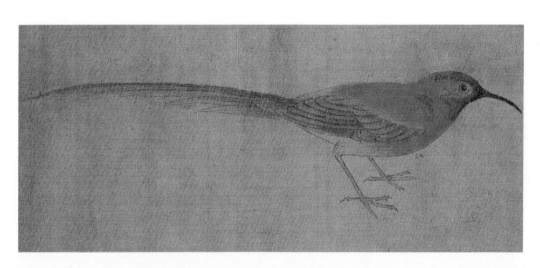

有情節和構思上的內在聯繫。可能是一幅畫稿，或者是作者收集的創作素材。其畫法都是細筆淡墨先勾勒輪廓，然後再用色彩（包括淡墨）渲暈，層次很多，很細緻，設色華麗，基本蓋住墨跡。其風格特點是用筆工穩精細，重在賦色。蟬和蜜蜂翅膀畫得透明，蟲子前面兩根觸鬚細而有彈性，而展翅的麻雀和飛動的蜜蜂尤爲精細。龜鳥、昆蟲的造型，十分準確。不但畫出了牠們的不同體態特徵，而且還表現了牠們處在不同位置的角度變化，因而非常眞實生動。畫史上記載

黃筌的花鳥作品，在逼眞這一點上，有着許多傳說。例如他在孟蜀宮中畫了六隻仙鶴而招來了眞鶴立於畫側，使得蜀主非常嘆賞，將殿改名爲“六鶴殿”。又在八卦殿畫上四時花鳥，眞鷹見到畫中野雉，連連掣臂，要去捕捉，爲此蜀主遂命翰林學士歐陽炯作記。如此等等，無非是要說明黃筌筆下的各種禽鳥所達到的眞實程度，反映了這一時期畫家在花鳥畫上的主要追求所在。從《寫生珍禽圖》來看，恰好表現了這種寫實的追求和所達到的最高藝術水平。

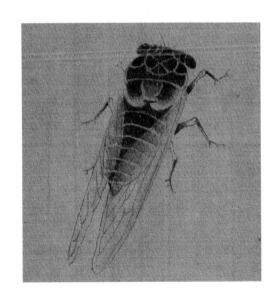

29. 窠石平遠圖

北宋‧熙寧、元豐間（1068－
1085 A.D.）‧郭熙
絹本　墨筆
縱120.8厘米
橫167.7厘米

90

郭熙被譽爲是李成、范寬之後"獨步一時"的山水畫大師。同時，他還是一個美術理論家，由他兒子郭思記錄整理的《林泉高致》，就是中國第一部完整而系統地闡述山水畫創作規律的著作。

現今能見到的郭熙作品並不多，真正可信的不過六、七幅。《窠石平遠圖》即是其中署有年款的一幅，創作於元豐戊午年（1078年），是他晚年的傑作，也是欣賞他的作品和理解他的美術理論的絕佳作品。

《窠石平遠圖》畫面近景，溪水清淺，岸邊岩石裸露。石上雜樹一叢，枝幹蟠曲，有的葉落殆盡，有的畫出老葉，用淡墨渲染。遠處，寒煙蒼翠，荒原莽莽，羣山橫列如屏障，天空清曠無塵，是一派深秋的景象。在郭熙的山水畫理論中，主張深入真山實水作觀察體驗爲創作的先決條件。在深入實際體察時，他採用了對比的觀察方法。在《林泉高致》中，有許多文字談到各地山水的特點和差異：同一地點的山水在不同季節、氣候下的變化；同一季節的山水在早晚、陰晴、風雨等不同情況下的區別；同一情況下的山水在不同的角度和距離下的不同姿態，等等。通過這樣仔細深入的對比，去捕捉自然山水可視形象的微妙變化，使自己作品的內容豐富充實，構圖形象變化多端，感情表達生動細膩，達到情景交融，神形兼備的境界。

《窠石平遠圖》畫的是北方的深秋。從對比觀察中，他體會到"西北之山多渾厚"，"其山多堆阜，盤礡而連延，不斷於千里之外，介丘有頂而迤邐，拔萃於四達之野。"畫中的窠石和遠山，正體現了這些特點。窠石用卷雲皴法，以表現北方山水的渾厚和盤礡，是郭熙的創造。而秋天，他的感受是"秋山明淨而如粧"，"秋山明淨搖落人蕭蕭"，畫中沒有蕭瑟和悲涼，從構圖的氣勢，用筆的利爽，給人以肅穆、莊重、清神的美感。特別是曲折的溪水，明澈澄鮮，不激不怒，且清且淺，與歷歷的窠石相聯繫，給人以"水落石出"的感覺。這一深秋景色富於神韻，是一般畫家難以察覺和表現得出的。

中國山水畫的取景構圖的"三遠"法則，是郭熙

首先總結出來的。"三遠"即高遠、深遠和平遠。《窠石平遠圖》標明了所採用的是"平遠"法。郭熙解釋說"自近山而望遠山，謂之平遠"。畫中取景，視平線在下部約三分之一處，平視中使景物集中。自前景透過中景而望遠景，層次分明，表現出縱深的空間距離，畫面雖着墨不多，但境界闊大，氣勢雄壯，因而給人精神以振奮。

郭熙，字淳夫，河南溫縣人。早年似是一個職業道士。沒有正式從師學畫，靠自己苦心學習鑽研，終成一個傑出的畫家。曾爲御畫院藝學，後提升爲"翰林待詔直長"的畫院最高地位。生卒不詳，創作活動旺盛時代是宋神宗在位的熙寧、元豐間。他創作態度非常嚴肅認真，他的畫直到晚年，不但毫無習氣，反愈見精神。

30. 臨韋偃牧放圖

宋
李公麟（1049—1106 A.D.）
絹本　設色
縱46.2厘米
橫429.8厘米

馬是中國古代重要的征戰、交通、耕作的工具；畫馬是傳統繪畫的重要題材。漢、唐兩代由於注重耕戰和馬政，畫鞍馬特別盛行。唐以來畫馬名家很多，最著名的畫家有曹霸、韓幹、韋偃等人。宋代以馬爲題材的繪畫逐漸減少，其中以李公麟畫馬成就最高。

李公麟，字伯時，號龍眠居士，安徽舒城人。以善“白描”畫法著稱，是北宋末年極有影響的大家。他擅長畫人物、佛像，也能畫山水花鳥，尤好畫馬。史載，李公麟初學畫馬時學韓幹而略有增損。他也廣泛吸收前人長處，“凡古今名畫，得之必臨摹蓄其副本”；並且以眞馬爲師。他熟悉馬的生活，“每欲畫必觀羣馬”。蘇軾曾有“龍眠胸中有千駟，不惟畫肉兼畫骨”來稱讚他能綜合曹霸、韓幹二家之長，發展了傳統的畫馬藝術。在朝中爲官時，“每過天廄縱觀，圖馬終日不去，幾與俱化。”以至御廄圉人怕李公麟把馬的精神奪走，而懇求他不要對馬作畫。

《牧放圖》是唐代畫馬名家韋偃所作，描繪當時牧場放馬的盛況。李公麟奉勅臨摹了這件作品。此圖爲長卷。全卷共有一百四十三人，一千二百八十六匹馬，場面浩大，氣魄宏偉。畫面從右向左展開，在平原、坡陀、溪水、樹石之間牧人驅趕馬羣，或奔馳，或跳躍，或緩行，或尋食，或就飲，或嬉戲，或吻啄，或伏臥，或滾塵。牧人有騎馬前進的，有徒步的，依樹休息的；或衣冠整齊，或赤足敞懷，極自然生動。

此卷構圖疏密相襯，主要人物，馬匹多集中於前半部，後半部逐漸疏朗。結構上的最大特點是恰當地運用層層土丘爲背景，把羣馬有條不紊地安排其間，顯得繁而不亂，密中有疏；而且適當地注意了遠近大小的比例關係，做到了層次分明，虛實相生。圖中人物馬匹以墨綫勾勒，坡陀樹石勾括後，略加皴擦烘點，筆法挺勁，工而不板。設色也變化多端，各種顏色的搭配使用，顯得色彩極爲豐富而清雅。總之，像這樣龐大場面，複雜而富於變化的佈局結構，若非技藝高超，運思縝密，很難收到如此完美的藝術效果。韋偃眞跡早已不傳，從此圖可以窺見韋偃原作《牧放圖》的規模。同時也看出李公麟臨摹本的高深的藝術造詣。畫家在臨摹此圖時實際上是藝術的再創造。

此圖曾經宋宣和內府、紹興內府、明內府、清內府收藏；也經南宋賈似道、明孫承澤、清梁清標等私人的遞藏。後幅有明太祖朱元璋題跋，又清高宗弘曆題於本幅及隔水。《庚子消夏記》、《石渠隨筆》、《石渠寶笈續編》等書有著錄。

31. 漁村小雪圖

宋
王詵（1037-？A.D.）
絹本　設色
縱44.5厘米
橫219.5厘米

山水畫在北宋時期已發展到了一個新的高峯，表現技巧日趨成熟，一時名家輩出。最著名的開派畫家有李成、范寬、郭熙等。王詵在師法李、郭的基礎上，並廣泛吸收唐、宋諸名家之長，獨自成家。

王詵字晉卿，山西太原人，爲英宗時駙馬。詩詞、琴、棋、書、畫無不精通，與蘇軾、黃庭堅、米芾等人相友善。王安石變法時，因他與"元祐黨人"有牽連而被貶，後憂鬱而死。他生前大量收集古今法書名畫，藏於"寶繪堂"。他有較好的條件借鑑諸家名蹟，加之深厚的文學修養和對生活的體驗，他在山水畫方面藝術造詣之深非一般畫家所能比擬。正如《宣和畫譜》

所說，他"寫煙江遠壑，柳溪漁浦，晴嵐絕澗，寒林幽谷，桃溪葦村，皆詞人墨卿難狀之景，而詵落筆思致，逾將到古人超軼處"。現存於世的王詵山水畫作品除《漁村小雪圖》外，尚有《煙江疊嶂圖》和《瀛山圖》，三件作品風格各不相同，以《漁村小雪圖》最能代表王詵的藝術水平和特點。

《漁村小雪圖》是一幅以漁民生活爲題材的雪景山水畫卷。幅中奇峯秀嶺，巉岩陡壑，險崖絕澗，崗阜平灘，清溪曲港，沙渚汀灣，飛瀑流泉。其間佈設虯松翠柏，老樹枯藤，疏柳喬柯，古寺漁村，及舟楫、木橋、城關。數漁父或張網於水中，或搬罾於坡岸，或

垂釣於舟首，或對坐於艙中。山坡小道上有人策杖攜琴尋幽，羣羣水鳥振翅飛翔於煙波林木之間。景色優美，人物生動，整個畫面充溢着濃厚的生活情趣。畫面景物籠罩在薄雲輕霧之中，一派初冬季節的蕭索氣氛，面對此圖，頓覺凜凜寒意，其趣無窮。

此圖成功地運用了"深遠"構圖法，把近景、中景、遠景有機地加以結合，有條不紊地處理畫面各種景物。遠近、大小比例關係大致都與自然形態相吻合。佈勢奇巧，開合有度，結構嚴謹而又虛實相生。給人以"咫尺千里"之感。筆墨設色也頗具特色，筆法精練，墨色清潤，整個畫面以墨筆勾皴和水墨暈染爲主，

又在山石、樹木及蘆荻頂端敷粉描金，表現了小雪後的漁村寒意之中尚有陽光的浮動。水天之際以水墨加螺青烘染，表現了寒溪的清澈和天色的空濛，顯現一種江天寥廓似晴非晴之意。作者將李成、郭熙的水墨山水畫法與唐李思訓的金碧山水畫法加以結合，這在當時無疑是一種新的創造，所以當時人們對他有"不今不古，自成一家"之評。

此圖曾經宋宣和內府和清內府收藏。《宣和畫譜》、《大觀錄》、《石渠寶笈初編》有著錄。溥儀後攜出宮，流落在長春。1950年惠孝同先生購得，後捐贈給故宮博物院。

32.清明上河圖

北宋·政和、宣和年間
（1111－1125A.D.）
張擇端
絹本 淡設色
縱24.8厘米
橫528.7厘米

張擇端的《清明上河圖》，以獨特的風格、高度概括的技術，眞實生動地描寫社會生活等方面，在畫史上贏得了崇高的地位，成爲擧世聞名的不朽傑作。

張擇端，字正道，東武（今山東諸城）人。宋徽宗趙佶時期的畫院待詔，善畫市橋、郭徑、舟車等，作品有《西湖爭標圖》、《清明上河圖》，都爲時人選爲神品。

《清明上河圖》描繪的是清明時節北宋都城汴京（今河南開封）東角子門內外和汴河兩岸的繁華熱鬧景象。全畫可分爲三段：首段寫市郊景色，疏林薄霧，茅檐低伏，阡陌縱橫，楊柳新綠；其間人物往來，有進城送炭的毛驢小隊，有出城的旅人，以及掃墓歸來的轎乘等。畫出了特定時間內特有的風俗，直接點醒了題目。中段以上土橋爲中心，另畫汴河及兩岸風光。汴河是宋代的國家漕運樞紐。從畫面上那滿載貨物的巨大漕船，一艘緊接一艘。碼頭上裝卸貨物，繁忙而緊張，正是汴河所擔負的重任的形象寫照。中間那座

規模宏敞、狀如飛虹的木結構橋樑，概稱"虹橋"，正名"上土橋"。橋上車馬來往如梭，商販密集，行人熙攘。橋下一艘漕船正放倒桅桿欲穿過橋孔，梢工們的緊張工作吸引了許多羣衆圍觀。畫家在這一水陸交通的滙合點，安插了許多戲劇性衝突情節，使人看來饒有興味。後段描寫的是市區街道。其中心有一座高大的城門樓，名叫東角子門，位於汴京內城東南。門外第一座橋便是上土橋。城門兩側，街衢交錯，房屋鱗次櫛比。有各種商店，大店門首還紥結着彩樓歡門；小的鋪子，僅祇是一個敞棚。此外還有公廨寺觀等。街上行人，摩肩接踵，車馬轎駝，絡繹不絕。行人中有紳士、官吏、僕役、販夫、走卒、車轎夫、作坊工人、說書藝人、理髮師、醫生、看相算命者、貴家婦女、行脚僧人、頑皮兒童，甚至還有乞丐。他們的衣冠，有著等級，同在街上，而忙閒不一，苦樂不均。城中交通運載工具，有轎子、駝隊、牛、馬、驢車、人力車等。車子有串車、太平車、平頭車等諸種名目。全卷

畫面，內容豐富生動，集中概括地再現了十二世紀北宋全盛時期都城汴京的生活面貌。

　　此畫用筆兼工帶寫，非常老練。設色淡雅，不同一般的界畫，即所謂"別成家數"。構圖採用鳥瞰式全景法，真實而又集中概括地描繪了當時汴京東南城角這典型的區域。作者用傳統的手卷形式，採取"散點透視法"來組織畫面。畫面長而不沉，繁而不亂，嚴密緊湊，如一氣呵成。畫中所攝取的景物，大至寂靜的原野，浩瀚的河流，高聳的城郭；小到舟車裏的人物，攤販上的陳設貨物，市招上的文字，絲毫不失。在多達五百餘個人物的畫面中，穿插各種情節，組織得有條不紊，同時又具有情趣。作者善於觀察生活，同時也善於從生活中發掘那些富於詩意、富於戲劇的矛盾衝突，並將它化為藝術形象，其概括和組織才能是令人驚異的。整個畫面步步變化，使觀者目不暇接，而且每看每異，都有新的感受和發現，覺得畫幅後面，還有更加廣闊的天地，畫有盡而意無窮。

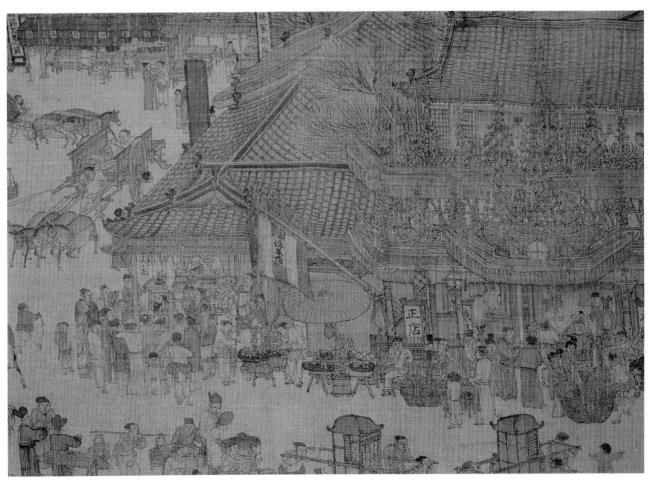

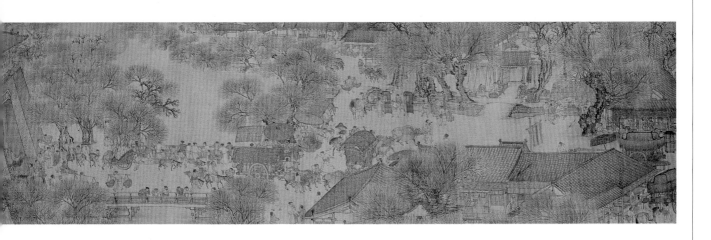

33. 水圖

南宋

馬遠（1190－1224A.D.）

絹本　淡設色

共十二段

每段縱26.8厘米

橫41.6厘米

山水畫在南宋時期是一大變化。畫家以強烈而集中的藝術形象表現單純而完整的意境，突破了“全景式”的構圖，創造了新的構圖技巧。筆墨較前更爲放縱潑辣，形成了南宋的時代特點。其間李唐、劉松年、馬遠、夏圭是突出的代表，譽爲“南宋四大家”。

馬遠，字遙父，祖籍山西永濟。任南宋光宗、寧宗朝的畫院待詔。他出身繪畫世家，又兼收李唐等人技法，形成自己的風格，以擅長山水、人物、花鳥而“獨步畫院”。在山水畫方面，筆法好作大斧劈皴；構圖取景，好以邊角和一角之樹石爲主體來概括全景，簡練而集中，形式十分新穎，人稱他爲“馬一角”。他在畫院裏創造的作品，不少有寧宗趙擴或皇后楊氏的題字。這一卷《水圖》就是有楊氏題字的馬遠作品之一。

《水圖》共有十二段。除第一段因殘缺半幅而無圖名外，其餘圖名分別是：“洞庭風細”、“層波叠浪”、“寒塘清淺”、“長江萬頃”、“黃河逆流”、“秋水迴波”、“雲生蒼海”、“湖光瀲灩”、“雲舒浪卷”、“曉日烘山”、“細浪漂漂”。這十二段

作品，專門畫水，除個別幅有極少岩岸之外，其它沒有任何別的景色，完全通過對水的不同姿態的描寫，表現出種種不同的意境。作者對水觀察的細緻入微，以及創造出來的形態美感和筆墨技能，都令人驚嘆不已。如“洞庭風細”，波浪如鱗，不激不怒，近大遠小以至於水天一色，彷彿覺得微風習習，輕輕掠過了那開闊的湖面，使人心曠神怡，寵辱皆忘。“層波叠浪”是以顫抖的筆法，描寫浪濤的起落，彷彿其下有蛟龍蟄伏。那洶湧澎湃的氣勢，使人精神振奮而感到豪壯。“湖光瀲灩”一幅，畫家以輕快流暢的筆法，畫出水波的跳動，浪峯無規則的排列，顯然受到亂風的吹蕩，即使畫家不染上紅色，也使觀者感到陽光明媚，不由人不想起“湖光瀲灩晴偏好”的杭州西湖景象來。“雲舒浪卷”一幅，却又是另外一番境界。畫家以凝澀的筆觸，畫出一個浪頭，它彷彿咆哮着要騰空而起，天空中黑雲滾動，與水相接，更增加有如衝鋒陷陣的氣概。畫面雖小，而氣魄宏大壯觀。其它各幅，都各有不同的筆法特點和意境，就留待讀者自己體會。

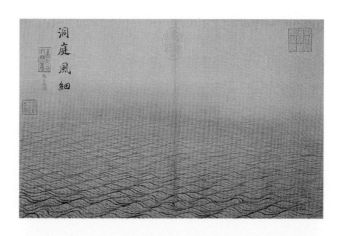

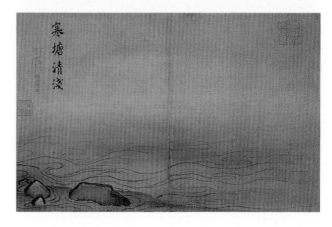

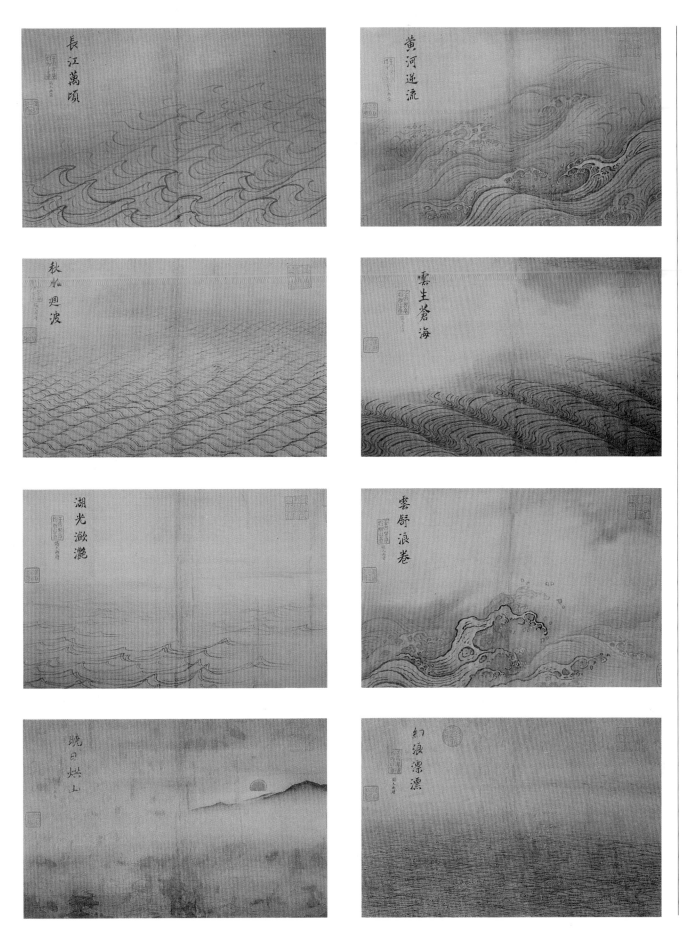

長江萬頃　　　　　黄河逆流

秋水廻波　　　　　雲生蒼海

湖光瀲灩　　　　　雲騰浪卷

曉日烘山　　　　　紅浪漂漂

層波疊浪

賜大兩府

34. 大儺圖

宋（960－1279A.D.）

佚名

絹本　設色

縱67.4厘米

橫59.2厘米

描寫民間風俗習慣的繪畫，宋代特別發展，《大儺圖》就是一幅風俗畫。畫面上共畫有十二個人。他們都穿着奇異的服裝，戴着各式的帽子和插着花枝。帽子的式樣毫不重複，除了笠、巾和冠之外，有的是帶着犄角的獸頭，有的是農家場院器具斗、籮、箕之屬。他們的手中或身上攜拿着鼓、鈴、檀板等樂器，或爲扇、簑、帚等用具，或爲花枝、瓜之屬。所有人的面部都化了裝，可能戴的是假面具。十二個人團團圍住，手舞足蹈，充滿着歡樂的氣氛。舊題《大儺圖》。

儺（nuó，音那），是一種古老的驅除癘疫的民間習俗。《論語》中就有"鄉人儺"的記載。《後漢書》記載："先臘一日，大儺，選中黃門子弟，十歲以上十二歲以下百二十人爲振子。"唐代《樂府雜錄》中描寫說："用四方相，戴冠及面具，黃金爲四目，衣熊裘，持戈揚盾，口作儺儺之聲，似除也。振子五百，小兒爲之，朱褶青襦，戴面具，晦日於紫宸殿前儺，張宮懸樂。"這些描述與畫上的情況基本相似。當然到了宋代，儺時的具體情形和細節，又會有許多的發展變化。從畫面情形來看，其中增加了許多農具，可見這種古老的習俗，到了宋代除了驅除邪祟之外，還有祈求豐收的意味，同時也是一種民間娛樂活動。所以此幅畫，從藝術到內容，都值得珍視。

35. 搜山圖(部分)

宋(960-1279A.D.)

佚名

絹本 設色

縱53.3厘米

橫533厘米

《搜山圖》表現的是民間傳說二郎神搜山降魔的故事，所以也稱爲《二郎神搜山圖》。二郎神的故事在民間廣泛流傳，在許多文藝作品中也有反映。元代有《二郎神醉射鎖魔鏡》的雜劇，描寫二郎神與九首牛魔王、哪吒及金睛百眼鬼比試高低，最後拿住二洞妖魔。據記載，最早有北宋畫家高益畫的《鬼神搜山圖》，受到皇帝的重視。以後明、清兩代，不斷有傳本出現。

這一卷《搜山圖》是南宋末或元初人的手迹。人物用工筆重彩，衣紋用鐵綫描，剛勁有力，形象刻劃生動傳神，非凡手可及。山石樹木皴法豪縱，風格近乎南宋劉松年。與同一題材的各種不同本子比較，此卷是個殘本，其中缺少主神即二郎神部分，但是其繪畫技巧却高出其它各本。圖中描繪神兵神將們耀武揚威地搜索山林中各種魔怪。魔怪們均是各種野獸變的，有虎、熊、豕、猴、狐狸、山羊、獐、兔、蜥蜴、蛇及樹精木魅等。這些妖怪，或是原形，或化爲女子，他們都在神將們追逐下，倉惶逃命，或藏匿山洞，或拒絕受擒。而那些神將們則手持刀槍劍戟、縱鷹放犬，前堵後截，使妖怪無處逃身。本來，二郎神是作爲正面人物來歌頌的，然而看了此卷之後，却得到了一個相反的印象，那些神兵神將，一個個兇神惡煞，使人們憎惡，而那些妖怪們却面目和善，那種驚怖逃生的內心刻劃，使人們同情。不知作者是有意還是無意，使觀者自然地就會聯想到，當時社會那些官兵對老百姓的欺壓情形。

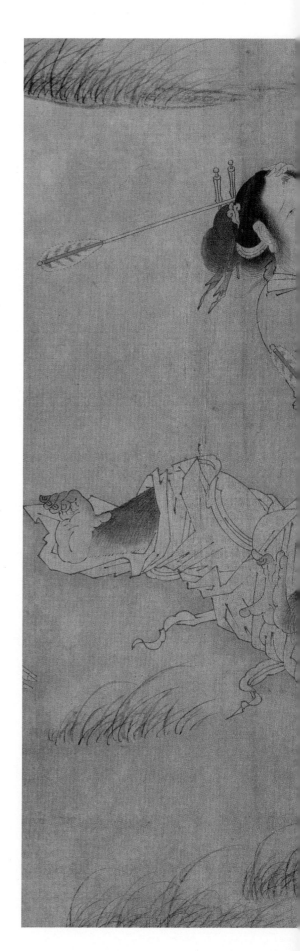

36.秋郊飲馬圖

元
趙孟頫（1254－1322 A.D.）
絹本　青綠
縱23.6厘米
橫59厘米

趙孟頫，字子昂，號松雪，浙江吳興人，是元代初年最有影響的大書畫家。他是趙宋宗室，宋亡時閑居家中，以布衣文人著名於時。三十四歲時奉元世祖忽必烈之召出仕元朝，受到元朝皇帝的優厚待遇。

趙孟頫博學多才，詩詞、書畫、音樂造詣均深。他的繪畫繼承晉、唐、五代、北宋的優秀傳統，博採衆家之長，形成了獨特面貌。題材廣泛，風格多樣，山水、人物、佛像、鞍馬、竹石、花鳥均"悉造其微，窮其天趣"。在元代畫史上起了繼往開來的作用。

趙孟頫一生畫鞍馬很多，現存於世的主要有《人馬圖》、《人騎圖》、《浴馬圖》、《秋郊飲馬圖》等。

《秋郊飲馬圖》是趙孟頫在五十九歲時所畫。描繪秋天郊外放牧的情景。圖中野水長堤，綠坡清溪與秋林疏樹，丹楓紅葉相映成趣。一紅衣人跨馬挽疆執鞭，驅十數匹駿馬來到溪邊，馬的神態各不相同：或奔騰追逐，或踏步緩行，或低首就飲，或回首顧盼，或引領長嘶。雖人馬不大，却極爲真實生動。

此圖恰當地利用有限的絹幅，以中景露地不露天及右開式構圖，把平視、仰視、俯視三種造景方式有機地結合；靈活地處理畫面景物，恰當地安排畫面藏與露的關係。畫家把主要林木、坡石、人馬畫在右部起手處，人馬由右往左走向，把來處藏於畫外；左上方只露稀疏的樹幹，把樹梢及遠山遠水藏於畫外；左下方是一潭清溪，隔溪堤岸依溪向左延伸適可而止。通過對岸二馬的奔馳追逐，點出境外尚有無限景物，畫似盡而意猶未竟，既突出主題，又給人回味的餘地。

此圖的筆墨設色，表明了畫家既師法唐人傳統，又有他自己的特色。他純熟地將書法應用於繪畫之中。人馬綫描用較爲工細的筆法，猶如篆籀，古樸謹嚴而中蘊清新俊逸。樹石、坡陀、砂磧用行草筆法，勾、皴、

擦、破、染並用，蒼勁中含清潤。背景用傳統的青綠
畫法，根據物體的不同，或朱墳楓葉，或綠染坡堤，
意味着尚未進入深秋，嚴霜還沒有奪去小草的生命。用
白、紅、黃、橙諸色畫出駿馬顏色各異。設色豐富濃
郁又清麗明快，且色不掩筆。從此圖可以看出畫家成
功地把青綠山水與水墨山水，唐人鞍馬與宋人鞍馬，
畫工的熟練技巧與士大夫的精神氣質熔鑄一爐。如果
說他四十三歲畫的《人馬圖》和《人騎圖》尚未脫離
唐、宋傳統，而《秋郊飲馬圖》則明顯地已經彤成了
自己的風格，代表了他晚年鞍馬的典型風貌，稱得上
是一幅形神兼備、妙逸並具、風格高雅的藝術珍品。
所以當時著名鑒賞家柯九思推崇它與韋偃《暮江五馬
圖》，裴寬《小馬圖》"氣韻相望"，"其林木活動，
筆意飛舞，設色無一點塵俗氣"。趙孟頫自己也曾聲
稱他畫鞍馬與宋代畫馬名家李公麟"並驅"。

37.九峯雪霽圖軸

元
黃公望（1269－1354 A.D.）
絹本　水墨
縱116.4厘米
橫54.8厘米

元代山水畫的代表性畫家除趙孟頫外，以黃公望、王蒙、吳鎮、倪瓚最爲突出，稱爲“元四家”。四家在趙孟頫繪畫實踐與理論的影響下，充分發揮了筆墨技巧，形成了“文人畫”爲主流的水墨山水畫派。其最大特色是把筆墨趣味在繪畫中的作用提到了一個新的高度，豐富了中國畫的表現技法。對明、清兩代畫壇的影響極大。黃公望被推崇爲“元四家”之首。

黃公望本姓陸，名堅，江蘇常熟人，出繼永嘉

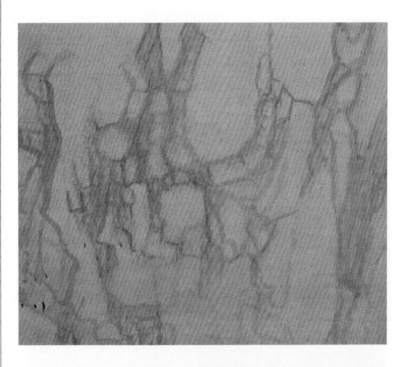

（今浙江）黃氏爲子，因改姓名，字子久，號一峯、大癡道人等。做過中臺察院掾。曾坐過牢，出獄後入“全眞教”，往來於杭州、松江等地賣卜。工書法，善散曲，通音律，最精於山水畫，常隨身携帶筆墨，在虞山三泖、富春等處領略自然勝景，隨時模記。其水墨畫有“峯巒渾厚，草木華滋”之評。設色多用淺絳。他還總結前人及自己的創作實踐經驗，寫有《畫山水訣》一文。

《九峯雪霽圖》是黃公望雪景山水傑作。圖中奇峯秀拔，丘壑幽深，枯樹、草堂都籠罩着皚皚白雪。觀此圖，頓覺凜凜寒意，如置身於冰雪中。

此圖章法嚴謹，險中見穩；結構縝密，虛實相生。採用高遠深遠相結合的構圖方法，表現出九峯高聳和巖谷的深邃。畫家把九峯畫在正中，左右斷崖，崗、阜下面的坡陀相揖，後以羣峯相伴，達到了主次分明又脈絡相連的效果。山角下溪澗自然延伸和山頂上溾溟的天空，使得畫面增強了空間感，避免了擁塞，做到了實處更實，虛處更虛。

此圖用筆也極爲精湛凝練，樹木房屋多用篆籀筆法，圓健而勁挺，山石多用草書筆法，疏秀清潤中含蒼茫渾厚，做到了筆無虛發，逸趣無窮。

此圖畫法是在一幅素絹上，用筆墨輕輕勾出景物的輪廓，並用深淺不同的墨色皴、擦、點、捽，或以很淡的墨色暈染山石，以加強山石的層次和立體感，再用破墨暈染天地，於是未染墨色的絹地便呈現出晶瑩潔白的雪景。這就是黃公望的名言“冬景借地以爲雪”的畫法。《九峯雪霽圖》採用這種畫法而達到極佳的境界。他存世的另外兩本雪景山水《快雪時晴圖》（故宮博物院藏）、《剡溪訪戴圖》（雲南省博物館藏），也是用的這種畫法，收到了同樣好的效果。

此圖右上方自題云：“至正九年春正月，爲彥功作雪山，次春雪大作，凡兩三次直至畢工方止，亦奇事也。大癡道人，時年八十有一，書此以記歲月云。”知此圖作於一三四九年，是畫給元代著名文人班惟志的。

38. 秋亭嘉樹圖軸

元
倪瓚（1301－1374 A.D.）
紙本　墨筆
縱134厘米（包括詩塘）
橫34.3厘米

在"元四家"山水畫中，倪瓚以"幽淡簡勁"的畫風而著稱。元以後的許多文人畫家和評論家把他的繪畫視爲"逸品"，加以師法和推崇。他在畫史上的地位，與元代黃公望、吳鎮、王蒙並列。當時江南文士家以有無懸掛倪畫而分雅俗。

倪瓚字元鎮，號雲林、幼霞等，江蘇吳錫人。其家爲當地豪富，雄於資財，喜與名士往來。因元末社會動盪，賣去田廬，散其家資，浪遊於五湖三泖間，寄居村舍、寺廟，因而有"倪迂"之稱。工詩、書，擅長畫山水竹石，多以水墨爲之。山水畫初宗董源，後參荊浩、關同法創用"折帶皴"，寫山石、樹木則兼師李成，所作大都取材於太湖一帶的景色。好作疏林坡岸，淺水遙嶺之景。意境幽簡蕭瑟，簡中寓繁，似嫩實蒼的風格，給文人水墨山水畫以新的發展。他畫墨竹自稱"逸筆草草，不求形似"以"聊寄胸中逸氣"。他存世繪畫代表作品主要有《水竹居圖》、《安處齋圖》、《漁莊秋霽圖》，《江岸望山圖》、《贈周伯昂溪山圖》、《幽澗寒松圖》、《梧竹秀石圖》、《竹枝圖》、《春山圖》及《秋亭嘉樹圖》等。

《秋亭嘉樹圖》是倪瓚晚歲之作。幅中近岸坡陀平坂間畫嘉樹三株，木葉凋零，樹下茅亭一座，修竹數竿。對岸畫遙嶺遠山，中間是廣闊的湖面，湖心有隱隱淺灘。整個畫面表現了深秋季節的蕭索氣氛。結合畫幅自題詩，明顯地反映了畫家避俗遁世、浪跡江湖、寄情山水的思想感情。而且還帶有幾分禪意。

此畫以平遠兩段式構圖，把近景放在畫幅最下端，中間留下大段空白，而把遠山提到中上方，顯得意境特別清遠。他的許多傳世作品都採用這種方法，如《江岸望山圖》、《贈周伯昂溪山圖》、《紫芝山房圖》等，有的作品甚至把遠山提高到了畫幅頂端，如《漁莊秋霽圖》等。這種構圖法是倪瓚的創作。

此畫筆墨勁健蒼潤，山石"披麻"、"折帶"兩種皴法並用，枯筆乾擦與濕墨渾染並用，並以焦墨畫苔點及樹葉，使得畫面層次分明，濃淡適中。正像明代吳寬在詩塘題跋所說，此圖是倪瓚"得意筆也"。明朱果在詩塘題跋中也讚賞不已。

七月六日雨窗當峒翁幽居圖文伯賢良以好紙
索畫同寫似亭真嘉樹高卉詩以贈　風雨
黃葉眠眠作　渾如林嘉樹延當密結靈人撩無
未憐寓鹽　知樂即南潭殘雪而盧倩
西門青熱海秋江路流涼翰裝山意絕有
衡陽白鶴雙雙

39. 夏日山居圖軸

元

王蒙（1308－1385 A.D.）

紙本 水墨

縱118.1厘米

橫36.2厘米

王蒙爲元代四大家之一，畫風別具一格。他比黃公望、吳鎮、倪瓚年歲都少，但藝術成就並不亞於三家。其水墨山水畫在元以後被奉爲範本，廣泛傳模，影響至今不絕。

王蒙，字叔明，號黃鶴山樵，自稱香光居士。浙江吳興人，趙孟頫的外孫。元末明初曾作過官。明洪武年間因胡惟庸案受株連，寃死獄中。

王蒙的繪畫早年受外家影響，又泛學唐、宋名家。山水以王維、董源、巨然爲宗，跳出趙孟頫風範，自成面貌。常用"解索皴"、"牛毛皴"並兼用"數家皴"法。多用枯筆，渴墨皴點。所畫山水蒼茫深秀，縱逸多姿。其內容大都是"山居"、"隱居"之類。傳世作品最著名者有《葛稚川移居圖》、《夏山高隱圖》、《青卡隱居圖》、《林泉清集圖》、《太白山圖》、《丹山瀛海圖》、《夏日山居圖》等。

《夏日山居圖》畫的是隱士理想的幽居處所。圖中奇峯秀嶺，疊巘重巒，山間長松繁茂，翠柏森森，汀溪曲迴，山徑蜿蜒。一所村塢隱現於山腳崖畔嘉樹林蔭之間，環境寧靜清謐。此圖章法嚴謹，逼而不塞，結構縝密，繁而不亂。左邊的山峯高聳，以右邊的溪澗汀渚和丘陵崗阜來做反襯，這樣就突出了主峯的奇險，避免了畫面的擁塞，使境界開闊。此圖筆墨非常精練，山石皴法，有細皴，有渾染，山間林木分別遠近大小，或精勾或漫點，筆法蒼逸，墨色清潤，整個畫面陰陽向背，層次分明。可以看出王蒙在運用筆墨技巧的高度成就。此圖畫法是王蒙晚年山水畫的代表性的風格，與《林泉清集圖》、《青卡隱居圖》等畫法相近；也是他傳世山水畫作品中不可多得的精品。

本幅右上方王蒙小楷自題三行："夏日山居，戊申二月，黃鶴山人王叔明爲同玄高士畫於青村陶氏之嘉樹軒。"可知此圖作於明洪武元年（1368年）時王蒙六十一歲。

40. 三顧草廬圖軸

明
戴進（1388－1462 A.D.）
絹本　設色
縱172.2厘米
橫107厘米

戴進是明代前期重要畫家。在追蹤南宋李唐、劉松年、馬遠、夏圭等山水畫風的諸畫家中，他的成就比較突出，能自成面貌，開畫史上的“浙派”。戴進用筆，比馬遠更加放縱。這種放縱的筆墨和表現在畫面上的强烈的動感，是戴進對馬遠傳統的發展，也是“浙派”畫風的重要特色。戴進之後的吳偉就更加突出地發展了這一特色而開創了“江夏派”。

戴進，字文進，號靜庵，錢塘（浙江杭州）人。初爲金銀首飾製作工匠，後改學繪畫。宣宗時曾入值仁智殿。因畫《秋江獨釣圖》，釣者着紅袍而觸犯皇帝，被逐。放歸後，長期生活在民間以賣畫爲生。各種題材無所不精，尤擅長山水人物，用筆豪放，設色沉厚。

戴進傳世繪畫作品較多，既有山水，也有人物、花卉。《三顧草廬圖》是他山水人物故事畫代表作之一。此幅以三國故事爲題材，描繪劉備帶同關羽、張飛到隆中敦請諸葛亮出山的情景。幅中峻嶺奇險，絕壁陡峭，飛瀑流泉，山間蒼松盤虬，翠柏秀拔，山坳中脩竹茂密，山草茸茸。柴扉敞開，茅廬隱現於山崖竹林中。門首四人，劉備躬身向一童子施禮，關、張站立備後似在交談，童子以手示，請客人進廬。

茅廬中諸葛亮身着鶴氅，手執羽扇，正襟危坐，正在恭候客人的到來。整個畫面情景交融，人物畫得栩栩如生。劉備的和靄謙恭，關羽的英武通達，張飛的猛悍坦率，諸葛亮的智慧超脫，童子的幼年謹愼的性格特徵，都刻劃得較符合歷史故事的內容情節。

此圖構圖和筆墨設色，基本上沿用馬遠、夏圭的畫法。採用近景高遠左開一角景畫法，山石用大“斧劈”皴，人物衣紋用“蹶頭”描筆法。豪放剛健，墨色沉厚淸潤，代表了戴進繼承馬、夏的傳統的典型風格。也是戴進山水人物故事畫中不可多得的精品。

41.仿黄公望富春山居圖卷

明

沈周（1427－1509 A.D.）

紙本　設色

縱36.8厘米

橫855厘米

明中葉，在蘇州地區，出現了新的畫派"吳門派"。此派創始於沈周，形成於文徵明。"吳門派"的出現、形成和發展，逐漸取代了明代宮廷院體和"浙派"繪畫的地位，"吳門派"繪畫最大特點，是恢復和發展了注重筆墨的書法韻味這一傳統，反映了文人士大夫的情趣和愛好，推動了文人畫的進一步發展。

沈周，字啟南，號石田，長洲（今江蘇蘇州）人。出身於世家。詩、文、書、畫無所不工。他常以詩文交結權貴，本人却過着超然在野的生活。他的書法學習宋代黃庭堅，筆法蒼勁挺健；繪畫除受業於當代名家外，則從多方面摹習古人，尤其對師法董源、巨然以及元代黃、王、吳、倪四大家有較深的造詣。他曾遊歷太湖流域各地，接受大自然的啟迪。在繼承傳統的基礎上變化出入於諸名家法度，形成自己的獨特風格。尤其是晚年善於用粗筆中鋒，筆力圓潤挺健，設色厚重凝練，風韻雄渾蒼勁，爲"吳門派"山水畫的形成和發展奠定了基礎。他還擅長花卉雜畫，寫意兼工，亦頗有意致，且爲白陽山人陳淳的寫意花卉開創了先河。沈周一生創作了大量繪畫作品，至今仍有不少精品存世，《仿黃公望富春山居圖》卷就是其中之一。

《富春山居圖》卷（現藏臺灣省），是黃公望歷數年才完成的生平傑作。曾經沈周珍藏，沈周請人題跋時，遂被其子藏匿。他兒子後來拿出售賣，沈周因無力購回復歸己有，常常思念不忘，便根據自己的記憶背臨了一本，就是這卷《仿黃公望富春山居圖》卷。

仿本既然是背臨，就不可能完全忠於原作。正如沈周自題所云："思之不忘，迺以意貌之，物遠失眞，臨紙惘然"。沈周仿本在佈局上除了尾部增加了一段山巒平岡樹石外，與原作大致相仿，但局部結構也略有分別，筆墨却完全不同，且着了色彩，純屬於沈周自家面貌。實際是沈周根據黃氏《富春山居圖》的規模進行了藝術的再創造。畫家在八百五十五厘米的巨幅上畫出了層疊起伏的山巒，遼闊浩渺的江天，依勢又佈置了岡阜平灘，汀渚港汊，樓閣亭榭，平橋曲徑，農舍漁舟。所畫人物不多，三五幽人策杖於小橋、山徑，二三漁父垂釣於舟中，還有一人在水邊茅亭觀鵝。整個畫面充分表現了富春江兩岸明媚秀麗的景色。

沈周仿作此圖時是六十歲，對於這位長壽的畫家來說這是他的中晚年時期，也是他繪畫生涯的最盛期的作品。其時沈周自家風格已經形成，因而此圖在筆墨設色方面具有沈周繪畫成熟時期的面貌。畫面從起手到收尾，樹、石、建築、人物多用禿筆中鋒，山石多用長短相兼的"披麻皴"，坡岸處偶亦用側鋒皴、擦。用卧筆畫苔點樹葉，乾濕濃淡都掌握得恰到好處，在水墨畫基礎上又審施丹青。根據景物的遠近形質不同或渾以花青或敷以淡赭，天空與江水多留下空白，不施墨色，整個畫面筆力圓渾蒼健，設色沉厚凝練，氣勢博大，不愧爲開派名家的大手筆。所以董其昌在題跋中稱此圖"信可方駕古人而又過之"。此言並非過譽。

大癡翁此段山水殆天造地設千生不見多
作作輟凡三年始成筆與墨當與
巨然亂其句識之甚惜此卷嘗為余所
藏用諸題于人遂為其子乾沒其子後久
能有出以售人余貧又不能為真以後之
徒系於思耳即其忠之不忘通以唐題之
物遠失真臨紙慨然
成化丁未中秋日長洲沈周識

124

42. 綠陰清話圖

明

文徵明（1470－1559A.D.）

紙本　墨筆

縱131.8厘米

橫32厘米

　　明代中期畫壇，沈周之外，文徵明是成就最突出、影響最大的文人畫家。可以說沈周是"吳門派"畫風的奠基者，文徵明則是形成"吳門派"畫風的主將。

　　文徵明，原名壁，字徵明，後以字行，改字徵仲，號衡山。長洲（今江蘇蘇州）人。出身仕宦之家，早年學文於吳寬，學書於李應禎，學畫於沈周。詩、文、書、畫同名一時。繪畫方面與沈周、唐寅、仇英並稱為"吳門四家"。擅長畫山水、人物、蘭草、竹石等。他的山水除師法沈周外，又對宋、元名蹟悉心研習，在繼承傳統的基礎上能獨具面貌。而且風格多樣，無論是青綠、水墨，粗放、精細都具功力。用筆勁健細密，墨色清潤淡雅，風格纖細秀逸。其創作題材多表現文人雅士的閒情逸趣。他長期生活在工商業較為發達、文人薈萃的蘇州，交往名流，與他們詩文書畫來往，一時成為"風雅"之士的中心人物。他的子孫弟子數十人，均從事書畫創作，成為"吳門派"的中堅

和後勁。

文徵明勤於創作，由於他長壽，一生中留下了大量作品，他的繪畫精品存世者就很多。《綠陰清話圖》是他晚年水墨山水畫代表作之一。

此圖是窄而長的立幅，畫家以巧妙的構思、縝密的經營和細勁的筆墨描繪出盛夏季節的山林景色。圖中山嶺巍峨，岩崖險峻，長松挺秀，翠柏森森，飛瀑倒瀉，疊泉涌流。在山水樹石之間，小橋橫跨溪澗，沿著盤環的山徑有水閣草堂和茅屋村舍，還有寺觀一所，屋頂隱隱可見。畫面充滿了清幽靜謐的氣氛。圖中三人，一童子携琴過橋，池旁樹陰之下的平坡對坐兩位文人，一人手中握軸，一人正在雙手展卷，似在朗讀卷中的詩文，或賞玩書畫。人物雖小，但使觀者一眼就可看出他們的身分。圖中作者自題詩："碧樹鳴鳳澗草香，綠陰滿地話偏長。長安車馬塵吹面，誰識空山五月涼。"詩的內容是畫家厭惡官場，寄情山水，避俗自逸的思想感情的表露，反映了當時一部分在野文人的生活思想情趣。

此圖在表現技巧上用高遠構圖法，並根據窄長立幅的特點，採用縱向散點透視，前後數層景物盡收於圖，使得畫面境界縱深，山勢高聳，但又不是一覽無餘。通過對天空、池水、平坡、山徑以及山石突兀處的留白不皴或少皴，使得畫面結構複雜嚴謹中又疏秀虛靈。畫家還巧妙地利用山勢的延伸，樹石、崖坡、曲徑等的掩映，把觀者的視綫逐步引入層層幽境。使觀者忽而如置身於深山峽谷，忽而如登臨高嶺雲表，忽而如漫遊於溪畔、泉邊。此圖筆墨極為精細勁健，山石樹幹多用枯筆乾擦，松針細寫，柏葉精點，紋理清晰，層次分明，細而不纖弱，繁密而不雜亂，勾、皴、點、染、捽等，筆筆都交待得十分清楚，眞正做到了筆不虛發，墨不妄施，筆筆恰到好處的藝術佳境。面對此圖，不能不對文徵明的繪畫藝術造詣感到由衷的欽佩。

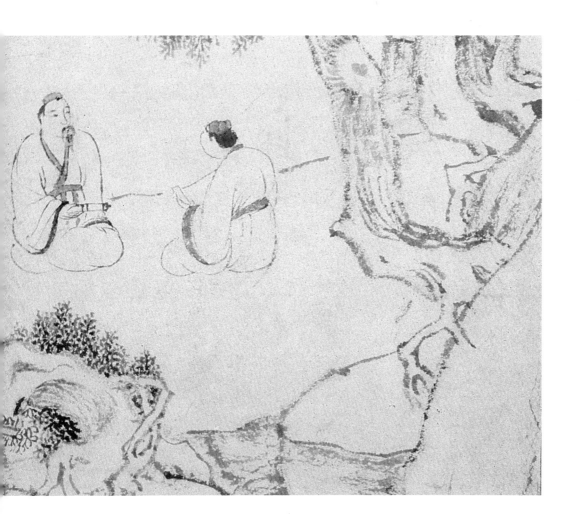

43. 事茗圖

明
唐寅（1470－1523 A.D.）
紙本 設色
縱31.1厘米
橫105.8厘米

唐寅，字伯虎，一字子畏，號六如居士、桃花庵主等，江南蘇州人。少時以文學聞名鄉里，與文徵明、祝允明、張靈、徐禎卿等，稱爲"吳中俊秀"，風流自賞。後無辜受科舉舞弊案牽連，被取消終身的考試資格。從此專事詩文書畫創作，優遊林下，玩世不恭，終其一生。

唐寅早年曾從同郡老畫師周臣學畫，不久他的技藝就超過了老師，名聲遠揚。他的畫既有傳統，又有創造，清新秀逸，風流灑脫，富有書卷氣。山水樹石，取法李唐，而不在全似，善師法古人。創作中，他是一個全才，山水、人物、花鳥，皆精絕，爲"吳門四家"之一。

《事茗圖》是一幅不可多得的唐寅作品。近處山崖陡立，巨石箕踞。山崖巨石間，溪流曲折，細浪瀠洄。岸邊茅屋數椽，屋前雙松挺立，蒼翠凌雲。屋後綠竹成蔭，迴環掩映。遠處煙靄之中，峯巒秀起，山間飛瀑鳴濺，山下泉水潺潺。整個景物的佈置，井然有序，層次分明，清幽舒暢，雅靜宜人。在茅屋正廳，倚牆書籍畫軸滿架，一人正對案讀書，案上置壺盞。後廳側室內，童子在烹茶。屋外有板橋橫過小溪，一人策杖來訪，身後童子抱琴相隨。畫後餘紙有行書五絕一首，詩意與畫境相結合，所表現的正是當時士大夫們"不求仕進"、"優遊林下"的理想生活情趣，是一幅主題鮮明的創作。在畫法上，用筆瘦勁，沉着活潑。人物雖着墨不多，而神態生動。松樹和山石的造型及皴法，明顯受到北宋時代李成和郭熙的影響，可見他對前人經驗的繼承，不限於李唐。但具有這種筆法特點的作品，在唐寅的衆多作品中，並不常見。

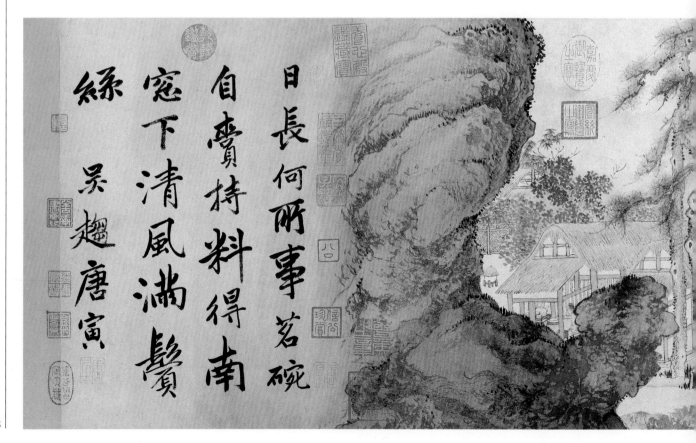

記溽暑惠山精
舍裏竹爐瀹
茗緩相
元文筆湖相
仿消渴何勞
玉常攜
甲戌閏月雨
餘寫眼偶展
此卷因摹甘意
即用卷中原韻
題之并書於此
溽筆

44. 明妃出塞圖

明
仇英（？－1552？A.D.）
絹本　設色
縱41厘米
橫34厘米

仇英，字實父，號十洲，原籍江蘇太倉，寓居蘇州。據説仇英早年曾當過漆工，到蘇州後爲名畫師周臣收爲弟子，遂以繪畫作終身職業。他曾在大收藏家項元汴家長期從事臨摹複製和修補古畫的工作。所複製的古畫，往往可以亂眞。由於他的天份和勤奮努力，加上臨摹和觀賞了大量的古代名畫眞迹，所以他的創作，於山水、人物、花鳥、樓台等各種畫科，無不擅長；工筆、寫意、設色、白描等各種畫法，都絕妙。

尤其他畫的婦女形象，爲一代典型。在當時和後代，極爲鑒賞家所推重。他以微賤的出身，在生前就能享有大名，並與沈周、文徵明、唐寅並列，稱爲"吳門四家"，完全是由於他有着非凡的繪畫天才與成就。

《明妃出塞圖》是仇英所作的十開《人物故事》册中之一幅。內容是關於王昭君的故事。工筆重彩，用綫極爲工細，人物形象的塑造，十分優美，可説是仇英的代表作品。

45.墨花九段卷

明

徐渭（1521-1593 A.D.）

紙本　墨筆

縱46.6厘米

橫622.2厘米

白石老人題畫詩云："青藤雪個遠凡胎，缶老當年別有才，我願九泉爲走狗，三家門下轉輪來。"老人最崇拜的這三位中國寫意畫大師，頭一名便是徐渭。

徐渭字文長，號青藤、天池，別署田水月等，浙江山陰（今紹興）人。一生遭際坎坷，離奇曲折，是悲劇性的人物。他在文學、戲劇、詩歌、書法、繪畫等方面的輝煌成就，在死後才爲人所發現和重視，並且愈到後代，愈顯光芒。

徐渭繪畫的傑出貢獻，是在繼承沈周、陳淳的基礎上，將中國水墨寫意畫推向了一個新的高峯。他的畫風豪爽潑辣，簡潔洗練，運筆走墨，自由奔放，不拘於一枝一葉的形似，而着重於"意"的表現。將自己的思想感情直接從筆端流露出，因而給人以沉着痛快、酣暢淋漓、一瀉千里、毫無阻礙的美感享受，《墨花九段卷》正是這一風格的典型代表作。全卷共分九段，每段有一主體花卉，再夾以竹、石、草爲襯托。九種主要花木依次爲：牡丹、荷花、秋菊、水仙、梅花、葡萄、芭蕉、蘭花、修竹。筆致老勁，墨色蒼潤，揮灑自如，隨意佈置，可謂達到爐火純青的地步。每段又題以詩句，借物抒懷，表達了他的思想。其所畫葡萄，如寫草書，藤蔓糾結，似龍蛇起舞。題詩云："昨歲中秋月倍圓，海南蚌母不成眠，明珠一夜無人管，迸向誰家壁上懸。"顯然是作者自感"托足無門"的心情寫照。在一塊奇石下，叢菊盛開，夾以勁利的小竹，題句云："西風昨夜太顚狂，吹損東籬淺淡粧，那得似余溪渚上，一生偏耐九秋霜。"表現出他不甘屈服的精神。此卷作於明萬曆壬辰（1592年）冬，離徐渭死前僅數月，是他極晚的作品。從畫和題詩來看，這位老人臨終了，還是那麼倔強不屈，始終保持他那充沛旺盛的藝術生命活力。

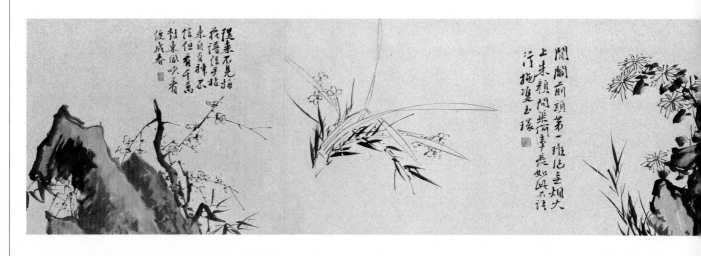

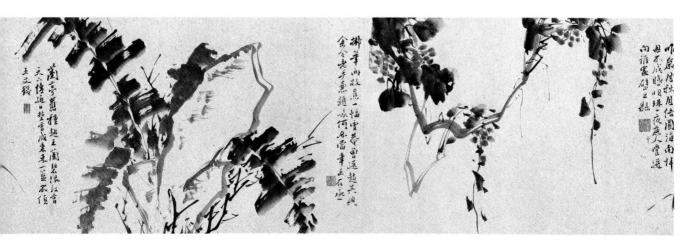

46. 昇庵簪花圖

明

陳洪綬（1598－1652 A.D.）

絹本　設色

縱143.5厘米

橫61.5厘米

陳洪綬，字章侯，號老蓮，浙江諸暨人。明末諸生，崇禎時以擅長繪事被召入禁中為舍人，使臨歷代帝王圖像。明亡入寺為僧，號悔遲。自幼喜好書畫，從藍瑛學習，於山水、花鳥、人物無所不精，尤以人物為世所稱。所畫人物軀幹偉岸，造型多誇張變形；而綫條細勁清圓，富於裝飾趣味。這種風格是在李公麟、周昉等用筆基礎上的發展變化，在明末清初人物畫中獨樹一幟。曾創作有《水滸葉子》、《西廂記》插圖等，於中國傳統版畫也作出了特殊貢獻。

《昇菴簪花圖》畫的是楊慎的故事。楊慎（1488—1559年），字用修，號昇菴，四川新都人。曾以殿試第一名受翰林院修譔，嘉靖時起充經筵講官。因議大禮哭諫宮門，使嘉靖皇帝震怒，被貶謫到雲南。從三十七歲時起，到七十二歲時病死衞所止，一直過着被流放的生活，其心情鬱悶可想而知。據記載："用修在瀘州，嘗醉，胡粉傅面，作雙丫髻插花，門生昇之，請伎捧觴，遊行城市，了不為恥。"畫面所畫的就是楊慎的這一怪誕生活行徑，不過沒有畫他由門生抬着遊行街市的形象。畫中楊慎體態豐滿，身着寬袍大袖，頭戴五色花枝，昂首鼓腹，兩手垂肩，雙眸下視，小步遲遲，狀貌似歌似吟，似醉非醉，把這位失意文人放浪形骸、玩世不恭的精神行貌表現得淋漓盡致。楊慎身後，有兩個捧盂持扇身體瘦弱的女子，其形體與精神狀態，和楊慎成鮮明對比。背景簡潔，近處有山石和野花，把人物推向適中的距離，而以一株彎曲的楓樹來襯托主要人物。楓樹幹老枝殘，然而卻紅葉爛漫，既飽經風霜，又保持着頑強的生命，這與楊慎的精神頗有些相似。整個作品的思想主題，表述了畫家對楊慎遭到不平的政治待遇所寄予的無限同情，反映出對朝廷放逐這樣一位有才能的文臣的不滿，同時，也讚賞了楊慎的消極反抗的玩世生活態度。

47. 放鶴洲圖

明

項聖謨（1597—1685A.D.）

紙本　設色

縱65.5厘米

橫53.7厘米

項聖謨出身於書畫世家,自少習書畫而淡於仕途。清軍入關, 國破家亡, 使項聖謨悲痛欲絕。他創作了大量的詩畫,寄懷故國之思,以示不甘屈服於清王朝。

項聖謨的畫風, 獨樹一幟, 於明末清初畫家林立之中, 他既不同於松江、太倉的董其昌、王時敏、王鑑等人, 也不同於南京地區的諸大家, 與他所在的浙江地區藍瑛的風格也迥異。他的畫沒有直接的師承, 是領略自古人的。這與他的家庭富於收藏有關。所以前人評價他的畫 "取法於宋, 而取韻於元"。即是從宋人那裏學習到謹嚴的章法和周密的用筆, 又從元人那裏吸取精神素質來豐富畫中的逸趣。所以董其昌認爲項聖謨的畫是 "士氣作家俱備"。更難能可貴的是, 他堅持自己的作品在於反映現世, 表現時代。與同時代的許多畫家視書畫爲玩賞之樂, 大爲不同。

《放鶴洲圖》是項聖謨的一幅實景寫生畫。放鶴洲在嘉興鴛鴦湖畔。是唐代裴休（字公美）的別業舊址, 久已荒廢, 明末朱葵石加以修葺整理, 成爲一處園林。清順治十年癸巳（公元1653年）朱氏邀請項聖謨到此賞景, 泛舟吟詩, 之後便創作了這幅畫。

畫面繪的是放鶴洲秋天的景色。筆法細膩, 設色雅逸, 佈置平淡天眞。近處平湖港汊, 沃野田疇, 岸邊雜樹叢生。遠處村莊低伏, 城廓隱現。田埂上, 人們勞作後歡樂地歸來; 河港中, 婦女忙着採菱, 充滿着濃郁的生活情趣。一切使人看來旣平凡而親切。作者所要表現的 "林泉之樂", 恰恰是在這種平易之中, 沒有釜鑿痕迹, 可謂達到妙奪造化, 獨會生機的境地。

鶴洲鴨眺

此洲即唐時
襄公吳利景
故鶴洲也左
吾木篤夾湖
畔焉庚火之
朱氏石陵棄
以渡一樹將
四十年完若
深山藍湖今
癸巳九月招
子升況有黃
利綠高請是
圖以紀其像
林泉之樂不
远飛失
登雨夜五日
書于朝雲堂
項吉貞

48.陶庵圖軸

清

弘仁（1610-1664 A.D.）

紙本　墨筆

縱109厘米

橫58.4厘米

清代初年，除了以"四王"爲代表的正統派文人山水畫家之外，"四僧"山水畫是最富創造性的，他們是弘仁、髡殘、八大山人和石濤。四僧大都是前明的遺民，不滿於清朝的統治而隱居山野，寄情於山水。由於他們都經歷了明、清之際"天崩地解"的時代，思想上受到了很大的衝擊，因而在藝術上也有明顯的反映。他們的繪畫藝術在畫壇上地位重要，其影響所及直至現代。

四僧中以弘仁最爲年長，他本姓江名韜，安徽歙縣人。弘仁是他的法名，自號漸江上人，死後人稱"梅花古衲"。他的繪畫早年學孫無言，亦師宋、元，在藝術上受元代倪瓚的影響尤深。筆墨瘦勁簡潔，風格冷峭秀逸，筆墨形象具有倪瓚凝練的特點。但由於他居住黃山，並常來往於雁蕩、黃山白岳間，所以他的山水畫作品多是表現層岩陡壑、奇險秀麗、老樹虬松、千姿百態的黃山白岳真景，與倪瓚作品所表現的疏林遠山、平淡秀逸的太湖景色迥然不同。畫風獨具，成爲"新安畫派"或"黃山畫派"的代表人物。

《陶庵圖》是弘仁晚年之作，畫於清順治十七年（1660年）是畫給子翁居士的。"陶庵"是子翁的室銘，即子翁幽居之所。幅中畫垂柳五株，翠竹叢叢，柳蔭下草堂一幢。涼亭一座，堂前池水一泓，池中土堤，堤上單板石橋，從土堤穿柳行過石橋，可至堂中。堂後山巒起伏，秀嶺疊翠，山下泉水流入池中彷彿潺潺有聲，山上松石喬柯疏疏落落，池中拳石墩墩蒲草簇簇，池邊柳樹扶疏。整個畫面表現了一種寧靜清幽，是一處幽居的佳境。臨圖，如置身於水村山郭之中。

此畫在構圖上採用中景高遠法，以左開右合的格局，將大部分景物安排在畫幅的左半部，右邊祇以高低不同的三兩山峯及坡石水草襯托，把遠景留在畫外，大片池水與天空的留白，清曠中不失嚴謹，給人以天高水闊山秀亭幽之感。

此圖筆墨清勁古雅，沉着穩靜，用筆以枯筆爲主，多用"披麻皴"，偶亦用"摺帶皴"法，以臥筆點苔。雖全用水墨畫成，但畫家極爲熟悉筆墨本身所包含的各種色調，以筆墨濃、淡、潤、燥表現出各種物體在畫面中的層次關係。表明弘仁不僅有極深的功力，而且不拘泥於古法，在傳統山水畫的技法的基礎上，把自然景物當作他繪畫創作之源。因此他的作品既不背傳統山水畫之法，又合自然景物之理，《陶庵圖》代表了弘仁晚年山水畫藝術的基本特色。是一幅不可多得的佳作。

49. 仙源圖

清

石谿（1612－1674？A.D.）

紙本　淡着色

縱84厘米

橫42.8厘米

石谿，俗姓劉，武陵（今湖南常德）人。出家爲僧後法名髠殘，號石谿等。他是一個具有强烈民族思想感情的和尚畫家。清兵南下時，曾參與抵抗運動，失敗後逃入桃源深山，過着異常艱苦的生活。後雲遊四方，來到南京定居。先後掛錫報恩寺、棲霞寺、天龍古院，最後落脚牛首祖堂山幽棲寺。他爲人性格鯁直，寡交遊，所與往還者，盡是明代遺民。由於他的愛國熱情始終不衰，在遺民中威望很高，受人敬重。

在明末清初的畫壇上，髠殘先是與靑溪道人程正揆齊名，稱爲“二谿”。畫家龔賢曾比較“二谿”的藝術，認爲石谿的畫“粗服亂頭”好似王鐸的書法；靑谿的畫“冰肌玉骨”好似董其昌的書法。在書法上首先應當推崇的是王、董二人，而在畫法上則應當是“二谿”了。後石濤崛起畫壇，爲一代大師，於是“二石”並稱。而石濤本人也非常崇敬石谿。

所謂“粗服亂頭”，是比喻不事修飾雕琢，任其純樸自然的藝術風格。石谿的山水畫創作，學習了元代王蒙、黃公望的筆法和章法而加以變化。他的章法特點是非常繁密複雜，構圖妥貼平穩，不以新奇出勝，而以渾厚嚴謹見長；筆法蒼勁、凝重，欲去還留，欲收還放，如綿裹鐵，似錐畫沙。所以欣賞石谿的山水畫，如讀蘇東坡的“大江東去”，雄壯，豪邁，深沉，痛快，有一瀉千里之勢。其畫面高山鉅壑，叠巘層巒，煙雲氤氳，草木蓊鬱，雄渾壯闊，氣象萬千。所以評論家張庚認爲，他的作品“奧境奇闢，緬邈幽深，引人入勝”，並慨嘆“此種筆法不見於世久矣！”

《仙源圖》作於順治十八年（1661年），時石谿年五十歲，正是他藝術創作精力最旺盛時期。畫名“仙源”是摘錄自他畫中題詩的頭兩個字而命名，其實他畫的並非仙境，而是黃山風景的概括描寫。畫面近處樹色莽蒼，遠處崇山峻峙，中間煙雲繞繚，隱約中露出琳宮梵宇。筆法蒼老粗豪，墨與色渾然一體。畫前還有一條小溪，一人正划船欲出，根據畫中題詩有句云：“我今一棹歸何處，萬壑蒼煙一泓玉。”顯然是石谿自己的寫照。詩中表達了他對山水的無限熱愛，而畫面所體現的祖國山河無限壯麗的美景，正是他寄托“老去不能亡故物，雲山猶向畫中尋”的民族思想感情。

50. 貓石圖

清
朱耷（1626－1705 A.D.）
紙本　水墨
縱34厘米
橫218厘米

朱耷，名統鐢，明宗室後裔。明亡後出家為僧。五十九歲開始在書畫作品上簽名"八大山人"，自此"八大山人"之名盛行於世，卒年八十歲。

國破家亡之悲痛，高壓政策下的逼害，使八大山人經常佯裝瘋癲於市上。然而所作書畫，却異常冷靜。其山水，筆法源出於明末董其昌，意境荒寒蕭瑟，凄涼滿目，曾有題句云："一峯還寫宋山河"，寄意深遠。所簽署"八大山人"四字，筆畫勾連，猛然視之，既似"哭之"，又似"笑之"，可謂"哭笑不得"，滿腔悲憤的家國之痛，由此可知一二。

八大山人最擅長的是潑墨淋漓的水墨寫意花鳥畫。筆致瀟洒，作風潑辣。在掌握生宣紙的性能和控制水分而發揮水墨寫意特長上，是在繼承陳淳、徐渭的基礎上有進一步的發展創造。其筆墨圓渾、滋潤、厚實、精練簡括而富於變化，使後學追隨者難以企及。其魚鳥造型多誇張，題句多冷澀難解。可見其人孤傲不羣，倔强不屈的性格。

《貓石圖》作於清康熙三十五年（1696年），時年七十一歲。畫面開首寫玉簪一枝，接着畫荷花、荷葉，再畫岩岸塊石，有蘭花數莖，石上臥一花貓，閉目俯伏，寥寥數筆，其顧頇慵懶的神態可掬。末尾寫茶花一枝。整個畫面所畫各種事物，極為概括簡略，用筆幾乎可數，然而却無空闊疏簡之感。無論花石，還是睡貓，均生動有趣，堪稱八大山人的佳作。

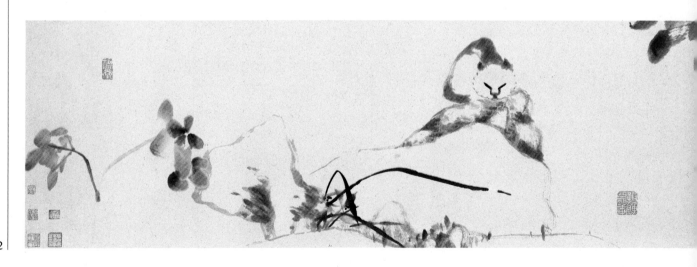

51.巨壑丹巖圖

清

石濤（1642－1707 A.D.）

紙本　淡着色

縱104.5厘米

橫165.2厘米

非凝非夢豈非
顛別有關心別
有傳一夜西
風解脫書
萬峰青插
了

石濤，本姓朱，明室後裔。清兵過江，南明滅亡時，年幼的石濤爲人携走逃匿，後削髮爲僧，法名原濟，字石濤，別號苦瓜和尙。晚年定居揚州，以賣畫爲生。

石濤是山水畫大師，不但有豐富的創作經驗，而且有自己的創作理論。著有《苦瓜和尙畫語錄》。主張深入自然山水中去“搜盡奇峯打草稿”，反對死守前人成法，重視自己的創造。因此，他的山水畫，用筆輕快流暢，揮灑自如，不爲法縛，無所拘束；章法新奇險巧，富於變化，氣勢開張，景象郁勃。與同時代稍長的另一山水畫大師石谿並稱“二石”。秦祖永比較他們的作品不同風格說“清湘老人道〔原〕濟，筆意縱姿，脫盡畫家窠臼，與石谿師相伯仲，蓋石谿沉着痛快，以謹嚴勝；石濤排奡縱橫，以奔放勝。”從這幅《巨壑丹巖圖》，我們可以看到石濤的這些風格特色。

《巨壑丹巖圖》近處蒼崖斜出，極爲險峻。崖上長松雜樹，苔草繁茂。稍後山間，有飛泉數重。遠處林木蓊鬱，靑峯插天。中間有水灣，一人坐船頭垂釣，童子在船尾烹茶。整個畫面，煙雲彌漫，莽莽蒼蒼，淋漓磅礴。其上有石濤自作長詩七古一首，從詩中更可體會到當時石濤創作此畫時那種解衣磅礴的激情。其詩云：“非癡非夢豈非顚，別有關心別有傳。一夜西風解脫盡，萬峯靑插碧雲天。即是此心即此道，離心離道別無緣。唯憑一味筆墨禪，時時拈放活心焉。人間宮紙不多得，內府收藏三百年。朝來興發長至前，狂濤大點生雲煙。煙雲起處隨波瀾，樹頭樹底堆成團。崩空狂壑走天半，飛泉錯落高巖寒。攀之不可極，望之徒眼酸。秋高水落石頭出，漁翁束手謝書閑。丹岳倒影澄巨壑，洗耳堂懸一破顏。”

52.巖棲高士圖軸

清
王翬（1632－1717 A.D.）
紙本
縱122.7厘米
橫31.5厘米

清初畫壇上出現了以王時敏、王鑑、王翬、王原祁、吳歷、惲壽平六大家爲代表的山水畫派，合稱"四王吳惲"。其中王翬在山水畫方面功力最深，成就也最爲突出。

王翬，字石谷，號耕煙散人、烏目山人、劍門樵客、清暉主人等，江蘇常熟人。擅長畫山水，偶亦畫花鳥。先後師王鑑、王時敏。二王時出家藏名畫供其臨習，他還隨時敏遍遊大江南北，觀摹著名收藏家所藏宋、元秘本，廣泛吸收諸家技法之長，冶爲一爐，形成自家風格。自從董其昌提出"南、北宗"的理論，把歷代畫家分成"南宗"與"北宗"兩大派以來，襃南貶北的風氣籠罩了明末清初畫壇。二王是董其昌這一理論的積極擁護者和實行者。而王翬能突破這種理論的藩籬，在藝術實踐中排除門戶之見，綜合南北之長。正如他自己所說："以元人筆墨，運宋人丘壑，而澤以唐人氣韻"。這是他有選擇地學習傳統山水畫法的經驗總結，也是他在山水畫方面獨步一時的重要原因。

王翬六十歲時，奉康熙皇帝詔到北京，任繪製《康熙南巡圖》的主筆。歷經六年，完成了總長約半華里的歷史畫卷。自此，更聲震南北。四方求售者接踵而來，追隨者眾多，爲"虞山派"之開山祖，死後有"畫聖"之稱。但他七十歲以後的繪畫多爲應酬之作。

《巖棲高士圖》作於康熙十一年（1672年）十月，時王翬四十一歲。本幅上方王翬自題七絶一首，並笪重光、惲壽平題和。從笪、惲二題中知此圖作於毗陵（今江蘇武進縣）舟次。時三人聚首毗陵，研討繪事達四十餘日，建立了深厚的友誼，嘗以詩、書、畫互贈，被稱爲當時藝壇勝事。此圖就是王翬畫贈笪重光的。圖中峯巒秀拔，巖壑幽深，山間雙松並茂，喬柯疏落，叠叠山泉湧出夾谷，流入平靜的湖中。夾谷間依山佈置閣、榭數幢，或半隱於崖畔，或高架於流泉之上。崖壁下有石階磴道或可通入幽處。近岸平坡松蔭之下，一人仰坐，正在觀賞湖光山色。畫面展現了一幅寧靜清幽的境界，結合圖中詩題內容，可以體會到笪、惲、王寄興山水的"幽情逸趣"。

此圖採取高遠構圖法，表現出高山大嶺的氣勢。

結構嚴謹而不擁塞，中部的一潭湖水和天空的留白，使得畫面具有很強的空間感。沖天的長松又把近坡與遠山加以連接，增強了畫面的整體感。畫家不拘泥一種筆法，如山石的皴法，斧劈、披麻、摺帶諸皴並用，枯、濕、濃、淡兼施，使得畫面富於層次感和立體感。由此更可以看出畫家傳統功力的深厚。代表了畫家中年時期典型的風格，是中年山水畫中的精品。

此圖曾收入清內府，有乾隆、嘉慶諸璽，曾著錄於《石渠寶笈》。

53.哨鹿圖

清

郎世寧（1688－1766 A.D.）

絹本　着色

縱267.5厘米

橫319厘米

郎世寧（Giuseppe Castig Lione）生於意大利米蘭，康熙五十四年（1715年）時二十七歲來中國傳教到北京，召入內廷，在畫院處當差。卒於中國，享年七十八歲。葬於北京西郊石門教堂，建碑，刻御製文。贈工部侍郎。郎世寧的後半生五十餘年在皇帝的左右作畫，他適當地改變歐洲畫法，不用投影，減弱明暗對比，保留立體效果和應用焦點透視法等；並和中國畫家合筆作畫，使中西畫法逐漸融爲一體，創造了一個新的畫法。他作品傳世的有人物、鳥獸、花卉的大小畫幅、卷、册、軸，樣樣俱全。多數作品是反映皇帝的政治、文化藝術等各方面生活。尤其有不少是表現有關民族團結和多民族國家的統一鞏固政治活動的圖畫，更是重要。《哨鹿圖》就是其中之一。

《哨鹿圖》的內容是乾隆六年（1741年），皇帝到木蘭行圍（即打獵）的實況記錄。畫面最前行列的第三人，佩帶紅錦"撒袋"（即裝弓的袋）騎白馬的就是乾隆皇帝，這一年他三十歲。乾隆三十九年（1774年），他曾爲這幅畫作了一首賦。在《御製題寫照哨鹿圖》中說這幅是辛酉年（即六年）他第一次到木蘭行圍，命郎世寧畫的。當時扈從的大臣們，比他年長的有來保等，還有很多人。比他年少的傅恒等，共有十二人，而今天這些人都已死了，所以很有感慨。按來保在乾隆六年時，是總管內務府大臣。傅恒在六年時是御前侍

衛。來保於乾隆二十九年（1764年）卒，是武英殿大學士。傅恒後來官居保和殿大學士，封忠勇公。前列中沒有鬍子的一人可能是傅恒，至於來保就無法指出了。

木蘭在熱河北部。這個地方周圍一千三百里，南北二百里，東西三百里，是一個原始森林的山岳地帶。獸類很多，鹿尤其多。從康熙四十八年（1709年）建造避暑山莊行宮，到嘉慶二十五年（1820年），皇帝每年（其間也有間斷）率領王公大臣、八旗護軍　內外蒙古和北方各少數民族到木蘭行圍四十餘日。哨鹿是預先命人吹號角仿效鹿鳴，可以引來多鹿。在行圍期間，哨鹿是活動之一。這幅畫是描繪行圍的全體行列剛剛進入木蘭山區的景象。乾隆和近景的一些主要人物，都具有西法肖像畫的特點。可以看出是寫生的作品，衣物馬匹刻劃精細入微，立體的質感很強，但明暗的反差相當柔和，與純粹中國畫法的背景山樹統一和諧。大隊人馬在行進中的氣氛生動逼真，由於遠近人物的比例適中就更增加了畫面的深遠。乾隆皇帝和領侍衛內大臣，御前侍衛等一行近景人物，當然是郎世寧畫的。但這樣大畫不可能一人完成，當時畫院常有通力合作的畫。這幅畫也不例外必定有中國畫家以及法國畫家王致誠等人在內，是一幅中西畫家合作的巨畫。

54.蓼汀魚藻圖軸

清
惲壽平 (1633-1690A.D.)
紙本　設色
縱135厘米
橫62.6厘米

惲壽平，初名格，字壽平，後以字行，更字正叔，號南田，別號東園生、白雲外史等，江蘇常州武進縣人。擅長畫山水花卉。山水風格超逸，小品尤佳。其靈秀之氣非一般畫家所能及。他的花卉畫比之山水畫成就更爲突出。他繼承和發展了北宋徐崇嗣的"沒骨花"法，並吸收明代畫家沈周、文徵明、唐寅、陳淳等人花卉畫法的長處，加之他自己對各種花草的仔細觀察和體會，創造了一種筆墨秀逸、設色明淨、格調清雅的"惲體"花卉畫風。在清初畫壇上別開生面，一洗時習，使得明代末年以來佔據畫壇的"勾花點葉派"末流幾乎爲之一掃。他所開闢的花卉畫新途徑，被稱爲"寫生正派"，其影響遍及大江南北，歷經康、雍、乾三朝而不衰，遂有"常州派"之目。

惲體"沒骨花"法的特點是畫花卉不用墨綫勾勒，全以彩色揮灑點染，表現出各種花卉的陰陽向背，使其更合乎於自然形態。這種畫法被稱爲"寫生之極致"。

《蓼汀魚藻圖》是惲壽平晚年花卉代表作。圖中清池一泓，游魚三尾，水底荇藻隱約迷離，似乎在隨着水底暗流浮動旋轉。近水坡岸秀石玲瓏剔透，石後竹枝吐翠，蘆荻花黃，兩枝盛開的紅蓼低垂水邊，與池水魚藻相掩映。左上方自題云"青山園池蓼花汀上得此景"。說明此圖是作者在對自然景物深入觀察的基礎上構思創作的。因此能盡得造化之意，把畫面描繪得富有濃厚的生活情趣。此圖全以色彩點染而成，不假勾勒。石以花青爲主調，略加淡墨渾染。竹、蘆、蓼葉、荇藻均用濃淡不同的花青，每葉一筆，祇蓼葉以深色畫葉筋，蘆花與蓼花分別以淡赭、淡紅二色點成。游魚以濃淡相兼的墨色寥寥數筆，便曲盡其態。筆不虛發，色不妄敷，靈變不滯。整個畫面秀潔澹雅，靈氣四溢，清新可愛，這是壽平"沒骨花"法的典型之作。

青山園池夢花汀上
掃此景
白雲溪叟受壽平
夢帆戲圖

153

55.桃潭浴鴨圖

清
華嵒（1682－1756 A.D.）
紙本　設色
縱271.5厘米
橫137厘米

清代中期的揚州地區，經濟繁榮，交通便利，文化生活活躍，因而吸引了很多畫家。

華嵒，字秋岳，號新羅山人，福建汀州人。年青時離家居杭州，後寓揚州，以賣畫爲生。他貧而好學，天分極高，才華橫溢。除繪畫外，還善詩詞，有《離垢集》傳世。爲人平生不慕榮利，以技爲穩。由於他起自民間，據說早年曾爲祠廟畫過壁畫。後來讀書求學，成爲文人。所以他的繪畫藝術，旣有着民間繪畫那種純眞、質樸、通俗的特點；同時又具有文人畫的雅緻、詩情、深幽的長處。在當時的畫壇上，旣受到一般市民們的歡迎，又贏得了社會高層人士的讚賞。

當繪畫分科越來越細的明、清時代，華嵒是一個不可多得的全才。他的人物畫，不唯造型生動準確，而且構思佈局奇巧妙絕。山水畫清新秀逸，筆致洒脫。

花鳥尤所擅長，兼工帶寫，所創造的形象活潑可愛，富有人的性格情調，生趣盎然。《桃潭浴鴨圖》是他得意之作，花鳥畫中的精品。

這幅畫創作於清乾隆七年（1742年），其時華嵒年六十一歲，正是他藝術成熟之後愈見爐火純青的時候。畫的上部畫着盛開的桃花和倒垂的柳枝。桃花用沒骨法隨意點染，深淺相間，繁密灼爍，遠視如噴火蒸霞一般，燦爛奪目。其下畫池塘，碎石細草，水波蕩漾。中間有一隻鴨在嬉水游泳。鴨子用小筆寫意，非常生動活潑。十分有趣的是，鴨子似乎是在繞着垂到水中的柳絲嬉游。通過這一細節的描寫，不但情趣頓生，而且使整個畫面上下貫通，聯爲一氣。華嵒就是這樣一位善於觀察生活，並善於把握這種生活的細節化爲藝術的形象的大畫家。

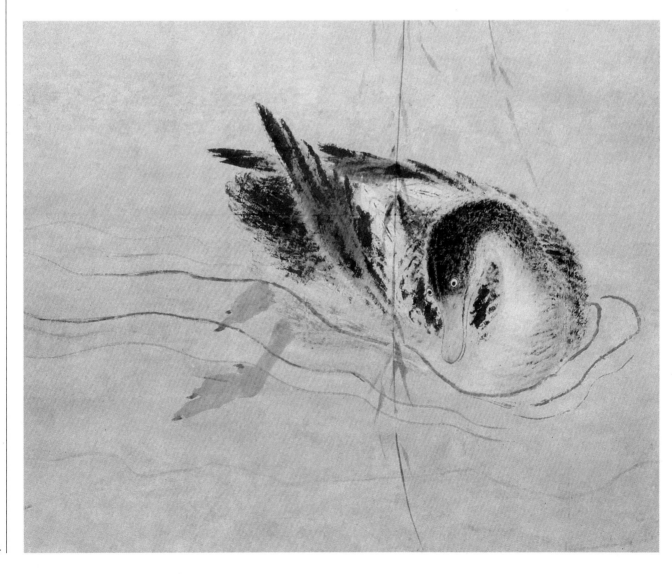

偃素循墨林巽弇澂洞覽
幽叩絪無垠趣理神可感剖靜
汲動桄披輝曁掏間洪桃其屈
鹽烙燁平蠻欿布護藨間疎麗
荄欲搽欿羽汎悅清洞貌象媚
漱灘純碧梨游情美嬉亦羮晴
峒溫深溫靈照薄西崦真曾崇優
明脩榮隱霏卷
壬戌小春寫于洞雅堂
新羅華嵒弁題

瓷器

瓷器

中國是世界聞名的陶瓷古國，夙有"瓷國"之稱。

早在一千八百年前的東漢時期，浙江上虞已燒出成熟的青瓷。這種瓷器以鐵爲着色劑經高溫燒成，色如碧玉、光似海天。在悠久的瓷器燒造歷史中，以青瓷燒造延續的時間最長。六朝時期，是浙江地區青瓷的發展階段，瓷窰廣佈，瓷器質量提高。如紹興出土的吳永安三年"青釉罐"，是一件富於裝飾意趣的早期青瓷代表作品。南北朝時，由於佛教的傳入影響，青瓷紋飾出現了蓮瓣紋、忍冬紋等具有外來文化因素的紋飾，經過長期的吸收融合，逐漸發展變化，後來成爲中國的民族形式。

隋、唐、五代是中國社會的重大發展時期，出現了繼漢代而興起的經濟、文化高潮。表現在陶瓷工藝方面也取得了輝煌的成就。白瓷經隋代的發展到唐代而成熟，形成了唐代瓷業"南青北白"的局面。唐代瓷業，南方各窰仍以繼續燒造青瓷爲主，出現了如唐人陸羽在《茶經》中所稱述的諸如越州、鼎州、婺州、岳州、壽州、洪州等名窰。唐代白瓷以北方邢窰最有名，其它產地還有河北曲陽、河南鞏縣、密縣等處。負有盛名的三彩陶器，以及絞胎、花釉、釉下彩等新興品種的出現，使陶瓷裝飾藝術別開生面。唐代陶瓷的裝飾特點在於向多樣化發展，色彩絢爛的唐三彩，是利用釉質流動的性能製作而成的鉛釉陶器。湖南長沙窰釉下彩的發明，首創了在胎上畫彩，然後上釉燒成。它是繪畫藝術與陶瓷工藝相結合的產物，成爲宋代磁州窰釉下彩繪以及後來的青花、釉裏紅的先導。在唐代陶瓷品目繁多的造型、釉色之中，河南一帶的花釉裝飾別具一格。魯山窰花瓷拍鼓，以其在黑釉上潑出大塊藍斑，利用釉的流動使之呈現類似窰變的藝術效果。唐、五代陶瓷業的發展爲宋代瓷業的繁榮提供了良好條件。

入宋以後，官營、民營陶瓷業同時發展。到北宋中期，陶瓷工藝進入鼎盛階段，出現了定、汝、官、哥、鈞五大名窰。其中定窰創立較早，始燒於唐代。汝、官、哥、鈞各窰以造型和釉色作爲美化瓷器的手段，惟定窰運用刻花、劃花、印花紋樣裝飾。畫冊內的定窰"孩兒枕"即是一件形象生動的雕塑藝術品。北宋民窰中河北磁州窰最有代表性，產品以濃郁的民間色彩見稱。它的白釉劃花、白釉剔花、白釉釉下黑彩等品種有着深遠的影響，形成了獨特的民窰體系。宋代名窰、名瓷層出不窮，鈞瓷的銅紅窰變色釉，汝瓷的釉如堆脂，景德鎮青白瓷的色質如玉，龍泉青瓷釉色的青翠，官窰、哥窰的冰裂紋片，耀瓷的犀利刻花，都成爲後世陶瓷業追求仿效的典範。

元代製瓷工藝在陶瓷史上佔有極爲重要的地位。最爲突出的成就是景德鎮創燒了青花和釉裏紅，以及銅紅、鈷藍等高溫顏色釉的燒成。青花瓷器具有清新素雅的特色，這一品種始終佔據景德鎮瓷業生產的主流。一九六四年河北省保定出土的元代"青花釉裏紅蓋罐"集中地反映了這一時期的製瓷技藝水平。

明代製瓷工藝在繼承傳統的基礎上，進入了以彩瓷爲主的黃金時期。景德鎮處於全國瓷業中心的地位，所謂"至精至美之瓷，皆出於景德鎮"。這裏設置的御窰廠所燒造的官窰器專供宮廷使用，並提供朝廷對內、對外賞賜與交換的需要。除官窰外，民營瓷窰星羅棋佈，以大量燒造日用瓷爲主，也生產極精緻的細瓷。此時期創新的高溫色釉有永樂甜白、宣德寶石紅、霽藍、弘治嬌黃、正德孔雀綠等，爲豐富傳統的單色釉做出了貢獻。作爲代表這一時期裝飾藝術水平的應屬彩瓷，如永樂、宣德時的青花、宣德釉裏紅、成化鬥彩、萬曆五彩，都爲俊世所推崇。本畫册所選載的永樂"青花壓手杯"、成化"鬥彩葡萄高足盃"是見於著錄的官窰名器，萬曆"五彩鏤空雲鳳紋瓶"則是運用鏤雕、彩繪於一器的傑出作品。明代的民營陶瓷業遍及河北、河南、山西、甘肅、江蘇、江西、廣東、廣西、福建、浙江各地。其中江蘇宜興的紫砂器、山西的法華器，福建德化的白瓷都具有特殊的成就。本畫册內的何朝宗"達摩瓷塑立像"就是德化白瓷的優秀代表作。

清代陶瓷工藝又有更大的發展。清代前期的康熙、雍正、乾隆三朝的製瓷水平達到了歷史高峯。其裝飾之華麗，工藝之精湛，品種之豐富，皆超越前朝，景德鎮製瓷業達到了空前的繁榮。顏色釉方面不僅承襲明代取得的成就，而且有不少創新品種。紅釉品種中康熙朝有郎窰紅、霽紅、豇豆紅，雍正朝盛行有胭脂水、珊瑚紅；藍釉中有天藍、洒藍、霽藍；另外尚有茶葉末、蟹甲青、瓜皮綠、孔雀綠、松石綠、茄皮紫、烏金釉等繁多種類。彩瓷中除青花、釉裏紅、鬥彩等傳品種外，粉彩、琺瑯彩、素三彩、黑彩等，進一步豐富了彩瓷的裝飾範圍。在仿製歷代名瓷以及仿銅、仿漆、仿竹、仿木、仿玉、仿翠，以及脫胎、玲瓏、轉心、轉頸等特殊工藝製品，表明了燒造瓷器技術的全面成熟。本畫册選載的康熙"五彩鷺蓮尊"、雍正"琺瑯彩雉鷄牡丹盌"、乾隆"各色釉大瓶"等器，即是最精彩的產品。

瓷器是中國的偉大發明創造，它是科學和藝術的綜合產物，不僅是具有經濟價值的物質產品，而且成爲人類所共同享有的精神財富。中國陶瓷的發展歷史源遠流長。從目前所發現最早的河南新鄭裴李崗、河北武安磁山文化遺址出土的陶器算起，至今約有八千年。在迄今爲止得知創燒成原始青瓷的商代中期，到出現瓷器的東漢，其間竟經歷大約兩千年。陶與瓷旣具有利用粘土的可塑和經火煅燒變得堅硬的共性，然而在漫長的演進過程中，由於原料的揀選、窰爐結構及燒成條件的改善，釉料的配製與施用種種條件的不同，使瓷器脫穎而出。

在人類物質文明史上，陶器是人類將美的感受運用於造型的藝術創造，是最早產生的工藝品之一。古代文明長期發展而後出現的青銅器、漆器……的工藝製作、造型藝術方面，都顯露出同陶器的關係。

瓷器的特有品質——強度、耐火度的提高；胎質吸水率、透氣率的降低以及光亮的外表，表明了瓷與陶質的差異。瓷器不僅滿足人們的物質需要，也滿足了人們的審美要求。它以廣泛的藝術題材，表現出現實生活以及自然界中一切美好的事物，以豐富的藝術手法創作出優美的造型，運用各種手段而達到裝飾的目的，令人們在鑒賞之中陶冶美的情操。

中國陶瓷歷史悠久，歷代名瓷名窰層出不窮，並且有着鮮明的時代風格。原始社會陶器的渾厚質樸；漢、唐時期陶瓷的雍容博大；宋、元瓷器的精美典雅；明、清製品的華麗工巧。中國陶瓷藝術所取得的輝煌成就，永遠在世界藝術之林放射着奇光異彩！

56.青釉罐

三國

吳・永安三年（260A.D.）

高46.4厘米

底徑16厘米

腹徑29.1厘米

"青釉罐"，又稱"青釉穀倉"，是二十世紀三十年代後期在浙江省紹興出土的殉葬明器。

位處杭州灣的紹興、上虞、餘姚、寧波一帶，是春秋戰國時期越國古地。這一地區在古代有長期燒造陶器、原始青瓷的傳統。東漢晚期上虞創製了成熟的青釉瓷器，成爲我國青瓷的重要發源地，即後人所稱的"越窯"。自此直到唐、宋，"青瓷"在中國陶瓷發展史中始終居於主流地位。

三國時代，越窯瓷業發展迅速，瓷窯密集。這一時期的產品除壺、罐、碗、缽、虎子等日用器皿外，還燒造穀倉、礱、碓、磨、米篩、豬欄、羊圈、狗圈、鷄籠等殉葬用的明器。永安三年"青釉罐"是有確切紀年的一件珍貴文物。

此器物胎質呈灰色，全身施青釉，釉色深綠純淨。罐體的上部堆貼有門樓和四層樓閣。倉口簇擁着引頸展翅的小鳥。樓閣周圍八名侍僕側立，各執不同的樂器，在聚精會神地演奏。每間廩口趴伏着守衛的家犬。穀倉的腹部堆貼有奔跑的狗、懶臥的豬、佇立的鹿、

爬行的龜以及游動的魚等，其間還夾雜着劃畫的狗、魚、龍等圖案，似是匠師堆塑各種動物形象之前擬初步安排的部位。另見有刻劃的"飛"、"鹿"、"五種"等字。穀倉的正面堆塑龜趺碑銘，上刻："永安三年時，富且洋（祥），宜公卿，多子孫，壽命長，千意（億）萬歲未見英（殃）。"等二十四字。字體刻在小碑上，外面罩釉。穀倉上所塑人物、鳥獸皆生動多姿，反映出豐收興旺的情景，象徵士族豪門的富有和權勢。這一作品充分表現了匠師的巧妙構思，是件標誌技藝成熟的青瓷代表作。

三國時期的穀倉是由漢代的五聯罐演變而來。原爲在橢圓形的罐體深腹上做五個盤口壺形小罐，中間的罐體高大，周圍的四罐矮小。逐漸變化中罐成爲大口，四罐漸漸縮小，變成不引人注目的次要附件。

這件"青釉罐"的造型裝飾形式豐富多樣，而又毫無瑣碎繁雜的感覺。這種具有時代風格的穀倉，不僅是反映出高超藝術造詣的工藝品，而且是研究古代建築、社會習俗、貯藏穀物方式的重要實物資料。

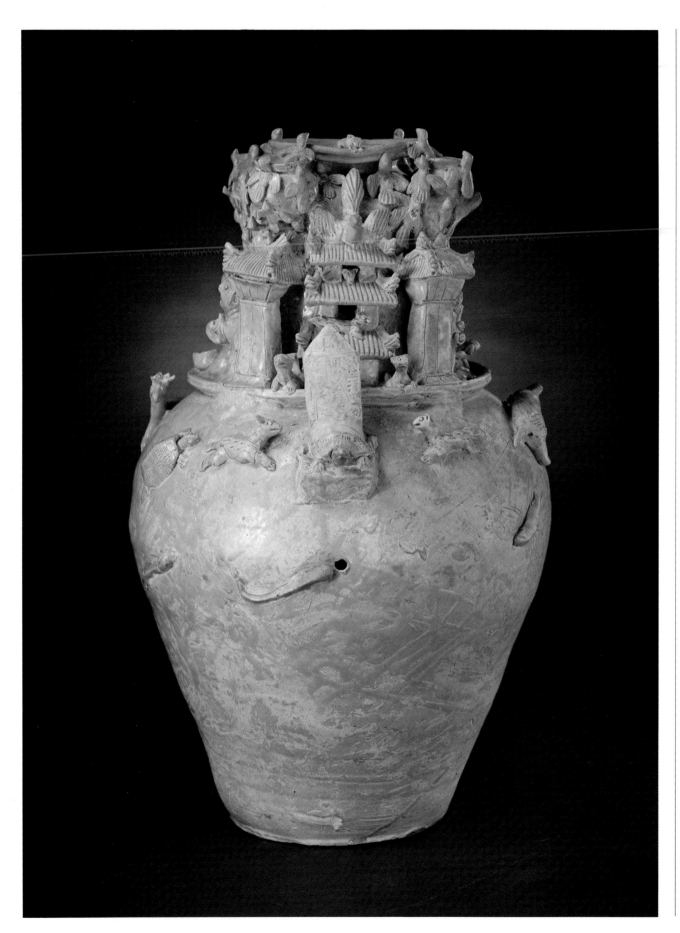

57. 黑釉藍斑腰鼓

唐（618－907A.D.）
河南省魯山窰
鼓長59厘米
鼓腔口徑22.2厘米

"黑釉藍斑腰鼓"是唐代瓷器的傳世精品，距今已有千餘年的歷史。器型製作十分規整，綫條流暢柔和，給人以端莊凝重之感。特別是採用了花釉裝飾，在如漆似墨的黑釉上，潑灑出藍色斑紋，呈現出水墨渾融的色調，作爲裝飾樂器，收到了有聲有色的藝術效果。

在中外文化交流中，音樂是一個不可忽視的組成部分。歷史上許多來自西域或北方少數民族的樂曲和樂器，大大豐富了中原地區的音樂形式和內容。相傳秦始皇擊"缶"。"缶"本是瓦器，所以盛酒漿，古代用爲樂器，"鼓以節歌"。擊"缶"爲樂，已開唐人"擊甌"之先聲。然而，這種稱之爲"廣首纖腹"的長形腰鼓，並非所擊之甌，亦不是古代"以瓦爲框"作鼓的傳統形式，它是來自西域的樂器之一。演奏的腰鼓需將兩面鼓皮用皮條拴繫在鼓腔上，鼓皮的圓面大於鼓腔口徑，皮上有穿孔以繫繩環，皮條從環中往復交叉拴結，鼓面便固定繃緊。可以想像，演奏時瓷質鼓腔發出的共鳴聲響會是多麼清脆悅耳。

在敦煌和雲岡石窟的壁畫中，有不少自北魏至唐代的伎樂畫面。其中可以看到樂伎拍擊腰鼓的生動形象。北魏伎樂演奏時，多爲置腰鼓在長案上雙手拍擊。唐代演奏的一種是樂伎或跪或坐，腰鼓放在腿上，雙手拍擊。擊鼓人的位置常排列在樂隊前面，而且在帽子或衣袖上飾以標記。司鼓者以鼓點統一節拍指揮演奏

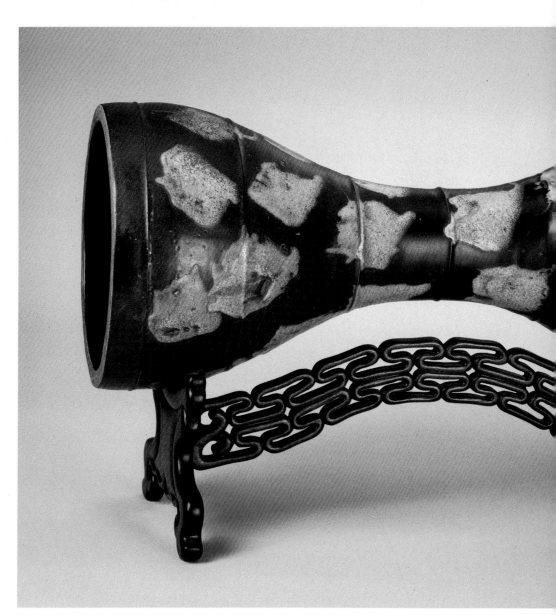

的地位，直到現代戲曲樂隊中也未改變。另外一種演奏是樂伎將腰鼓挎在胸前，邊擊邊舞，這又同今天朝鮮族挂挎"長鼓"的舞蹈很相像。在廣西少數民族使用的樂器中，至今仍可見到類似式樣的陶質鼓腔的腰鼓。

從這件花瓷腰鼓的裝飾藝術可以看出，唐代花釉瓷器擺脫了單色釉的局限，在黑釉或褐釉上潑以大塊藍斑或灰白色斑紋，利用釉的流動，使之出現烟雲變幻的美感。根據器物釉色和鼓身有凸起弦紋等特徵，以及目前的研究調查，已可證實唐代南卓《羯鼓錄》關於腰鼓的"不是青州石末，即是魯山花瓷"的記載的可靠性，確係魯山窯燒造。

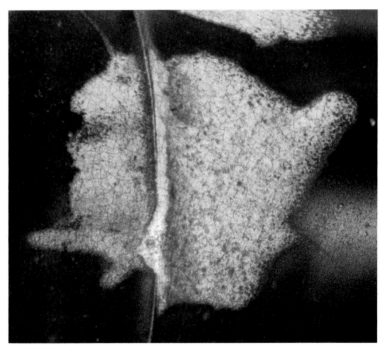

58.定窯孩兒枕

宋（960－1279A.D.）
高18.3厘米
長30厘米
寬11.8厘米

宋代是瓷業發展史上的一個繁榮時期，當時各地出現了許多具有不同風格特色的名窯。其中北方瓷窯以定窯最為著名。定器一度作為北宋的宮廷用瓷。定窯白瓷對後代瓷器有很大影響。

定窯古遺址在今河北省曲陽縣澗磁村、燕山村一帶，曲陽宋屬定州，指地而名，故稱“定窯”。

定窯燒造年代的上限早至唐代，盛於五代及北宋，終止於元。定器之中白瓷最負盛名，另有紫定(醬釉)、黑定（黑釉）、綠定（綠釉），更為罕見。白釉裝飾採用刻花、劃花和印花。刻劃花是以竹質或骨質的圓體斜面工具和梳篦狀工具逐件進行手工刻劃。刻花紋樣以呈現出有斜度的“刀痕”凹綫組成，梳篦狀工具

劃出了一組組廻轉流利的綫紋，以流暢、洗練的綫條表現出優美生動的畫面。印花則是提高產品工效以及紋樣同一化工藝的進步，紋飾常見在碗、盤裏部。製作時將坯件置於事先刻好花紋的陶範上整形拍印，其紋飾多以工整繁密細膩取勝。“定器有芒”，是定窯產品的重要特點，由於盤、碗之類採用底足朝上的“覆燒”方法，因此出現口部無釉，故而盤碗以銅、金、銀鑲口，亦謂之“金裝定器”、“釦器”。

定窯傳世精品之中，孩兒枕堪稱孤品。瓷枕早在隋代已經出現，唐、宋時期各瓷窯都有燒造。南宋女詞人李清照所作《醉花蔭》有：“玉枕紗廚”詞句，玉枕所指即為青白如玉的“青白瓷”枕。枕的式樣有長

方、腰圓、雲頭、花瓣、鶏心、八方、銀錠多種，也有塑成虎形、龍形、嬰孩、臥女狀。定窰孩兒枕不僅是生活器具，而且是一件精美絕倫的瓷塑藝術品。

孩兒枕胎體厚重，通體施乳白色釉。胖孩兒匍伏臥於榻上，兩隻手臂搭放在頭下，右手拿一縧帶綉球。身穿長袍，上套坎肩，衣服上團花依稀可辨。拳腿交叉，足蹬軟靴，神態自然生動，二目烱烱有光采，笑容可掬，顯示出天眞可愛的神情。下承以長圓形的床榻，周圍以浮雕花紋裝飾。整個瓷塑手法細膩入微，在塑造形體的同時，注重綾條的運用。面部輪廓的柔和、衣着形體綾條的流暢、飽滿，生動地表現了孩兒形象的姿態和特徵，凝聚了匠師藝術創造上的眞、善、美。

59. 青花釉裏紅蓋罐

元（1271-1368 A.D.）

通高42.3厘米

口徑15.2厘米

足徑18.5厘米

青花瓷器是中國具有優秀傳統的產品。元代景德鎮生產的青花瓷器，當時行銷國內和亞洲的許多國家，製作上已達到十分純熟的地步。與“青花”同屬“釉下彩”的新興品種──“釉裏紅”以及紅釉、藍釉的問世，為後世彩瓷和各種色釉的進一步發展，奠定了基礎。

元代“青花釉裏紅蓋罐”傳世稀少。此罐係一九六四年在保定出土窖藏十一件元瓷中的兩件蓋罐之一。罐類一般用作盛器，像這樣技藝精湛的瓷器，不僅可以實用，而且可供觀賞。

“青花”是使用鈷礦物作彩料，先在坯件上着色繪畫，後罩以透明釉汁，經高溫一次燒成的白地藍花瓷器。顏色鮮艷，釉下紋飾經久不變，具有明淨、素雅之美。作為與“彩”不同概念的色釉品種──紅釉和藍釉，則是含銅或含鈷而呈現不同顏色的釉料。因銅紅釉的燒成技術難於掌握，元代紅釉絕佳作品甚為少見。元瓷一般胎骨厚重，器形大，顯出雄壯渾厚的氣勢。這是與製胎原料的進步，燒成溫度的提高分不開的。因此減少了器物變形，在製瓷工藝上有所創新。這件蓋罐不僅器形大，而且彩、釉皆精，出土時又保存得如此完好無損，實為可貴。

元“青花釉裏紅蓋罐”形體飽滿，製作精緻。瓷罐腹部突出部位作菱形開光主體紋飾，開光內鏤雕四季花卉，並以兩道串珠紋作輪廓，增強了開光內洞石、花卉的立體感。山石、花朵呈紅色，葉為藍色，紅藍相映，表現了四季花色滿園的美景。罐體上下繪有纏枝花、卷草及蓮瓣花紋。四朵垂雲飾於肩部。其間繪有蓮花盛開於海水底紋之上。整個器物在裝飾技藝上達到了主次分明、渾然一體的藝術效果。蓋頂輔以蹲形獅鈕，使這件瓷器更加完美並富有感染力。

近三十年來，在北京元大都遺址，河北保定、江蘇金壇、江西高安等地窖藏，以及湖南常德、江西波陽元墓和南京明初墓，陸續出土元代瓷器。其中精艮之品除河北保定所出土者外，近年以江西高安窖藏出土青花、釉裏紅瓷器最為精彩。早年曾有與此罐相類似的兩件流散到國外，一件現藏英國大維德基金會，一件現藏日本，但是均缺蓋，就不能與此器相比了。

60. 青花壓手杯

明·永樂(1403–1424 A.D.)

高5.1厘米

口徑9.1厘米

足徑3.9厘米

尺寸原大

明代 永樂"青花壓手杯"是故宮珍藏的名杯，至今已有五百餘年歷史。

永樂朝青花瓷器寫有款識的極為罕見，傳世品中迄今僅見"青花壓手杯"有款。明代谷應物《博物要覽》："永樂年造壓手杯，坦口折腰，沙足滑底，中心畫有雙獅滾球，球內篆書大明永樂年製六字或四字，細若粒米，此為上品。鴛鴦心者次之，花心者又其次也。杯外青花深翠，式樣精妙，傳世已久，價亦甚高。"云云，與此杯完全一致。此杯也即文獻所指"杯心畫有雙獅滾球"，球的中間寫有"永樂年製"四字篆款的上品壓手杯。故宮藏品中尚有杯心花朵中央篆"永樂年製"款識壓手杯二件，堪稱永樂青花杯三絕。

壓手杯又叫抑手杯。杯敞口微撇，器腹下部漸收，圈足。杯的胎體厚重，口沿約厚1.5毫米，其下器壁漸次增厚，杯的底心厚度5.5毫米，足底修飾平整，造型完美。杯的口沿外撇，口面尺寸適度，"手把之，其口正壓手"，因而得名。

中國歷代茶具，從"茶托子"到各式盌、盞，以至清代茶具的蓋碗、茗壺，品類繁多，形制各異，均出於所處時代飲茶風尚的需要。唐代飲茶盛行，僅《茶經》中記載當時生產的青瓷茶盌，就有越、鼎、婺、岳、壽、洪六州名窯。宋代飲半發酵的膏茶，且盛行"鬥茶"之風。茶末經沸水點注，茶湯泛起一層白沫，為了使顏色分明便於品評，黑釉茶具"兔毫盞"、"鷓鴣斑"應運而生。明代茶葉是炒青製法，飲的是芽茶，飲法同現代大體相同。茶冲泡後是綠色，茶杯逐多施白釉。壓手杯胎質潔白細膩，釉色白中泛青，瑩潤光潔，自然是上乘之品。

"青花壓手杯"青花色澤深翠濃艷，有凝聚斑點。器的內外均繪紋飾。口沿外單邊線、雙邊線各一圈，其間繪點狀梅花二十六朵。杯的主體紋飾繪纏枝蓮八朵。腹下、足邊分別描有雙綫，圈足邊繪捲枝忍冬紋。器的裏口有雙綫一周，杯底圈綫內繪雙獅滾球，球體中篆款"永樂年製"。（花心式惟內底圈綫裏繪五瓣形團花，中心篆四字款。）字體結構嚴謹、蒼勁渾厚。壓手杯書寫永樂年款為明代御器廠燒製有款官窯瓷器的開始。

"青花壓手杯"在萬曆朝已十分名貴，歷代均有摹製，但從未見到亂真之贗品，足見其製作之精，其價值之高。

61.成化鬥彩葡萄高足盃

明（1368－1644A.D.）
高6.7厘米
口徑7.9厘米
足徑3.6厘米
尺寸原大

成化官窰彩瓷爲明代釉上彩瓷器之冠。文獻中對於明瓷評價有“首成化、次宣德、次永樂、次嘉靖”的記載。負有盛名的成化“鬥彩”，胎貭潔白，釉色瑩潤，造型靈巧，彩色艷麗。

成化“鬥彩”，指的是明代文獻所稱成化五彩或青花間裝五色瓷器，五彩亦即多彩之意。“鬥彩”一名始見於清代康、雍年間成書的《南窰筆記》。成化窰器有塡彩、青花加彩、青花五彩、青花點彩以及三彩、五彩諸類。其中除三彩、五彩屬單純釉上彩之外，其它幾種均以釉下青花的藍色與釉上紅、黃、紫、綠等深淺不同的顏色，相互配合組成畫面紋飾，具有釉上釉下色彩鬥妍爭艷的意思，故名“鬥彩”，亦有“逗彩”之稱。

成化鬥彩瓷器製作精美，是明、清彩瓷中名貴品種之一。傳世品多爲小件盃、盌。故宮博物院所藏以酒盃爲多。據清初《高江村集》記載，成化鬥彩酒盃有：高燒銀燭照紅粧、龍舟、鞦韆、錦灰堆、高士、娃娃、葡萄和鷄缸數種，其中除照紅粧、龍舟、鞦韆三種外，其餘故宮博物院均有收藏。

成化鬥彩還有高足盃式樣。據雍正七年宮中檔案記載，由圓明園送回的高足盃有鸚鵡摘桃、西番蓮、寶蓮、蓮花荷葉、鴛鴦和八如意等名稱，都名爲成化

五彩，稱高足盃爲高足圓。明成化“鬥彩葡萄高足盃”即屬於這類珍品。

“高足盃”，敞口，弧腹，沿微外撇，盃足中空呈喇叭狀。盃形靈秀，可用手擎高足，故又有“把盃”之稱。盃身環繞彩繪葡萄藤枝，畫匠先在坯胎上以青花勾出花紋輪廓，施置透明釉入窰裝燒後，在葉子、葡萄的輪廓上塡以濃淡不同的紫色，藤枝繪成紫色、蔓鬚繪以黃色，復入彩爐烘燒。燒成後，透過色彩可見釉下青花的紋線，枝葉藤蔓眞實自然，黑紫色的果實粒粒閃爍光澤，生動地表現出葡萄成熟時所具有的質感。盃足底邊一周無釉，亮釉處自右向左書“大明成化年製”六字楷書，用筆遒勁藏鋒，是當時流行的書法風尚。

成化鬥彩因其製作精美成爲一代名瓷，嘉靖、萬曆時期聲價已經甚高，繼之歷朝均有仿燒，以晚明仿品最佳，但胎骨、釉色都不如原作。尤其是款識，更容易鑒別。

“鬥彩”始於成化，它是在青花和釉上彩的基礎上發展起來的，一說它受景泰年間招絲琺瑯啓發所致。景泰藍工藝是在銅胎上招絲，後塡以彩料燒製。鬥彩則爲在青花雙勾綫內塡繪色彩，可能會有這樣的影響，其它工藝品之中相互借鑒的現象也是有的。

62. 五彩鏤空雲鳳紋瓶

明·萬曆（1573－1619A.D.）
高49.8厘米
口徑15.2厘米
足徑17.2厘米

明代彩瓷在中國陶瓷發展的歷史上翻開了嶄新的一頁。成化"鬥彩"和萬曆"五彩"同為名馳中外的珍貴名品。

瓷器上繪畫裝飾，歷經唐、宋、元各代。到明代永樂、宣德時期，釉下彩"青花"作畫已經十分純熟。明代瓷器彩繪，經洪武紅彩、宣德青花紅彩、成化鬥彩、正德素三彩的藝術實踐，直至嘉靖、萬曆時期的五彩，反映出明代彩瓷取得的成就，從而為清代彩瓷的進一步發展打下了基礎。

瓷器彩繪，素有"青花幽靚，五彩華貴"之說。具有典型特色的萬曆五彩，主要是釉下彩青花和釉上施以多種色彩相結合的青花五彩瓷器。當時尚未出現釉上藍彩，故以青花的藍色作為畫面的一種顏色，同釉上的紅、綠、黃、紫、褐構成豐富的色彩。作為皇家御用陳設的"鏤空雲鳳紋瓶"，不僅成功地運用彩繪，而且熟練地運用鏤雕技法，使圖案增強了立體感。在裝飾意圖上收到"錦上添花"的藝術效果，代表了這一時期景德鎮製瓷業的高超水平。

"鏤空雲鳳紋瓶"，併用彩繪、鏤雕裝飾方法，通體紋飾豐滿繁密，自上而下有八層之多。在施繪彩料中使用紅、黃、綠、茄紫、孔雀藍、褐諸色，矾紅色尤為顯眼。紋飾以褐赤色彩細綫描勾，使圖案愈見清晰。濃艷的色彩給人以歡樂的感覺。瓶腹部鏤雕九隻鳳鳥飛翔於彩雲間，構成了器物的主體紋飾。瓶口鏤成如意頭圖案。瓶頸上部描繪蕉葉紋一周，其上並鏤空蝶、花。頸部兩側雕塑一對獅"耳"，在錦地上二圓形開光內青花篆書"壽"字。其下部一層鏤雕垂雲四朵，並輔以錢紋作地，以鏤空朵花襯托。肩部飾一周萬字錦地。其間描繪四菱開光，光內繪有鳥雀、折枝花果，畫面各異。瓶腹雲鳳紋之下繪錢紋錦地，間飾八寶、朵花。近足部以矾紅色料繪以粗邊綫，使器物畫面、色調增加了穩重的感覺。整個器物造型古樸，構圖嚴謹，色彩絢麗，鏤雕剔透，是一件富麗堂皇的藝術品。

"鏤空雲鳳紋瓶"生動地刻劃了飛鳳、祥雲的景色。以龍鳳圖案作為裝飾題材是中華民族的文化傳統，在陶瓷文物上鳳的形象屢見不鮮，如唐代"青釉鳳首龍柄壺"、元代磁州窰"雙鳳紋罐"、元"青花龍鳳紋扁壺"等，都是陶瓷工藝中出類拔萃的器物。萬曆"五彩鏤空雲鳳紋瓶"，堪稱後來居上的珍品。

63.達摩瓷塑立像

明（1368－1644A.D.）

福建省德化窯

高43厘米

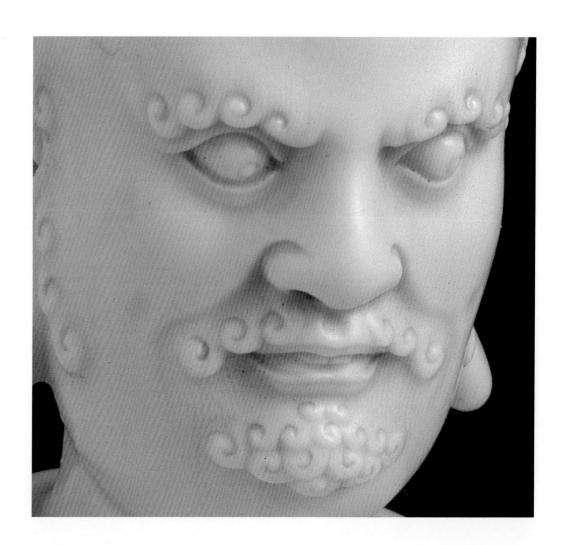

　　明代德化窯白瓷，質地、釉色及造型都堪與歷代名窯媲美。宋代已有燒造，到明代獨樹一幟，以瓷塑最負盛名，尤其何朝宗的作品更被人們視若珍璧。

　　何朝宗瓷塑大都取材於道釋人物，如釋迦牟尼、觀音、彌勒、達摩、呂洞賓等。其中觀音大士最多，達摩較少。故宮博物院藏何朝宗印款達摩立像，便是一件傳世絕佳之作。

　　達摩全名菩提達摩（Bodhidharma），南天竺（印度）人。梁朝普通元年（520年）經海路到廣州，應邀赴建業（南京）與梁武帝面談，話不投機，遂渡江去北魏洛陽。後住嵩山少林寺，在少室山石洞中面壁趺坐九年。其間得弟子慧可，傳法謁曰："吾本來茲土，傳法救迷情，一華開五葉，結果自然成。"並授之四卷《楞伽經》。慧可師承心法，使佛教的這一宗派──禪宗廣為流傳，故禪宗又稱達摩宗。達摩於梁大通二年（528年）十月五日圓寂，葬熊耳山。

　　在不少關於達摩的石刻、繪畫、雕塑題材中，多取自他的"渡海"、"一葦渡江"、"面壁"等神化了的傳奇故事。達摩瓷塑立像正是這樣一件氣韻生動的作品。瓷塑達摩臉部表情緘默深思，二目注視海濤，衣紋起伏、飄逸，赤足立於波濤之上，刻劃出飄洋過海而來的姿態，莊嚴肅穆，內含濟世的感情。

　　何朝宗是德化著名瓷塑家。傳說他一生中僅做了四十餘件瓷塑，都是精心之作。這件達摩像胎骨厚重潔白、細膩堅實，通體白釉，純淨瑩潤，釉面有被稱之為"寶光"的色澤，呈"象牙白"色相。從塑像精緻的細部分析，說明瓷土、釉料皆經過澄淘、精煉而成。德化窯白瓷胎骨釉色各異，素有"象牙白"、"豬油白"、"乳白"等等名目，流傳歐洲後，法國人又有"鵝絨白"、"中國白"之稱。"象牙白"是明代德化窯產品的特點。何朝宗瓷塑為德化瓷之典型，何朝宗又名何來，因此德化窯"象牙白"有"何來色"之別稱。

64. 五彩鷺蓮尊

清·康熙（1662-1722 A.D.）
高45.4厘米
口徑22.9厘米
足徑15厘米

清代康熙、雍正、乾隆三朝，是中國製瓷工藝史上的鼎盛時期。康熙五彩在清代彩瓷中的地位尤為煊赫。它在明代五彩的基礎上，以器物造型、施用色彩、紋飾題材以及繪畫技法等各個方面，都有所創新和提高。

康熙五彩的重大突破是釉上藍彩、黑彩以及金彩的運用。從而釉上藍彩取代了嘉靖、萬曆五彩中以釉下青花作為畫面藍色的施彩需要，使釉上彩繪的色調更加和諧，濃艷處有過於青花。黑彩施繪於瓷器上猶如墨筆書畫，是瓷繪中不可缺少的顏色。金彩裝飾在唐、宋、元時已用於陶瓷器之上，但多以粘貼金箔的方法。康熙金彩則用筆蘸金粉描繪，使得畫面的筆觸技法運用一致。金彩以其獨具的裝飾特色，增加富麗堂皇的藝術效果，是製瓷工藝的一項重要發展。

康熙"五彩鷺蓮尊"，口部與腹部尺寸相當，因其形似鳳尾，故亦稱"鳳尾尊"。尊體莊重秀麗，口沿外撇，頸部細長，肩豐滿，腹鼓圓，下腹逐漸內收，近足部微微外撇，圈足。整個形體綫條豐滿、流暢，輪廓勾勒成美的曲綫。康熙朝瓶尊種類很多，其中"鳳尾""棒錘"等大型器物皆出自民窯燒造。這

件造型優美、色彩金碧輝煌的鷺蓮尊，足以作為康熙五彩的典型代表作品。

"鷺蓮尊"通體描繪了以荷花、鷺鷥為題材的荷塘景色。畫面分作頸部、腹部上下二層，構圖豐富緊湊，內容基本相同，其間以一周回紋圖案相隔。尊體上下與頸、腹相交處各飾一道水波紋，從邊飾圖案的設計，也可看出匠師為了表現水塘環境的縝密用心。畫工運用寫實的手法，彩筆之下，嫩綠的新葉、枯黃的殘荷葉筋清晰可辨。紅色、紫色、金色的蓮花，亭亭如蓋，姿態無一雷同，設色穠麗而不妖艷。塘中水草、茨菇叢生，浮萍隨波逐流。水塘裏彩蝶紛飛，翠鳥攀在壓彎的荷梗上，相互顧盼。一隻佇立的鷺鷥正在引頸覓食，另一隻飛出水面，姿態十分生動。整個畫面表現了靜中有動的意境。

蓮花在人們心目中素來賦予她以"出污泥而不染""亭亭玉立"的稟性。在《詩經》裏一首描寫愛情的詩歌——《陳風·澤陂》篇中，還把荷花作為女性美加以讚頌。以荷花作為瓷器彩繪的題材比較常見。這件康熙"五彩鷺蓮尊"無論在製瓷工藝、或是繪畫技法上，都堪稱為上乘之品。

65.五彩百蝶瓶

清•康熙(1662－1722A.D.)

高44厘米

口徑12厘米

足徑13厘米

康熙五彩在清代瓷繪中獨具風格,素有"康彩恢奇"、"康熙彩硬"的評語。康熙五彩瓷器色彩濃艷深厚,光澤透澈明亮。繪彩技法是單綫平塗,同後來具有柔和感的雍正粉彩不同。由於五彩燒成的溫度較粉彩略高,色彩給人以強烈、堅硬的感覺,因而又有"硬彩"之稱。景德鎮製瓷業所稱"古彩",亦即指仿燒的這種彩瓷。

清代官窰器是由設置在景德鎮的御廠經辦。採取"官搭民燒"的形式。這種辦法即爲官窰器多數配給予民窰的"色靑戶"中搭燒,佔用其最好的窰位,以確保官窰器的成品質量。這一方式自康熙十九年(1680年)之後已成爲定制。但是,從傳世的康熙五彩瓷器看,御廠製品反而不如民窰。官窰五彩大多是盤、碗小件器皿,而民窰所燒造的瓶尊之類,不僅器形大,而且彩色艷麗,圖案生動活潑。《陶雅》評述康熙五彩時道:"明明官窰,而畫稿了無意味;明明客貨,則筆意上工細絕倫。"這裏所云"客貨"即爲民窰燒造的器物。因此,鑒賞家不以康熙"官窰"、"民窰"的稱謂而論短長。

康熙瓶尊造型豐富多樣,"鳳尾尊"、"棒錘瓶"、"玉壺春"、"梅瓶"、"觀音瓶"等式樣都有飾繪五彩的。"百蝶瓶"繪畫精工、形體秀美,是一件標誌技藝成熟的作品。

康熙"五彩百蝶瓶",器形口部微侈,短頸,豐肩,肩部以下逐漸內敛,圈足,內底無款識。瓶頸部飾二周雲頭錦地紋,瓶身通體描繪翩翩飛舞的彩蝶,其間伴以蜻蜓。畫面以寫生的筆意集中了不同種類的蝴蝶,形象逼真,千姿百態。以蝴蝶紋裝飾瓷器,五代時越窰已有劃畫對蝶的器物。裝飾題材取自百子、百鹿、百花、百鳥、百蝶者亦屢見不鮮,都無外乎寓吉慶祥瑞的意思。宋人繪畫有以猫、蝶、牡丹的"耄耋富貴"圖,表達了人們祈祝"富貴綿長"的心理。康熙"五彩百蝶瓶"以其斑斕的色彩、洗練的畫風描繪了喜聞樂見的圖畫。施彩有紅、黃、藍、褐、紫、黑、綠等多種顏色。綠彩之中的水綠色是康熙五彩所具有的特點之一。瓶體上彩繪的各種蝴蝶用色十分豐富,有的在翅膀的紅色斑紋上點以熠熠發光的金彩,有的在綠色翅膀上點綴黑彩魚子紋,還有的採用靑花加彩或施繪雅緻悅目的藍彩,使畫面呈現出五彩繽紛的色澤。在裝飾技藝的運用上表現了粗中有細的造詣,於自然中見匠心。康熙五彩以加黑彩、金彩者爲上品,"百蝶瓶"從施彩到繪畫無不顯示出康熙五彩的特徵。

66. 琺瑯彩雉雞牡丹盌

清・雍正(1723—1735A.D.)
高6.6厘米
口徑14.5厘米
足徑6厘米
尺寸原大

琺瑯彩瓷器是清代康、雍、乾時期的製瓷精品。康熙末年開始燒製，雍正朝製作日趨精美，乾隆時期更加工巧精細，達到登峯造極境地。乾隆時期，清代宮中收藏琺瑯彩瓷器集中存放在端凝殿，據檔案記載有四百餘件。“琺瑯彩雉雞牡丹盌”是其中之精品。

琺瑯彩瓷是先由景德鎮製成細薄潔白的半脫胎素瓷，運送到北京之後，由內務府造辦處畫師工匠繪彩，再入爐烘燒而成。當時，造辦處集中了全國各地的能工巧匠，專門為皇帝製作實用和賞玩器物，內分各類器作，琺瑯就是其中之一。然而琺瑯彩瓷器的正式名稱應為“瓷胎畫琺瑯”。清代檔案以及宮藏琺瑯彩瓷器的原盛匣標識上均如此記錄。由於它的燒製精細，產品很少，是只供皇帝賞玩的專用品，只有少數賞給蒙藏王公和達賴、班禪。

琺瑯彩瓷器，又有“古月軒”之俗稱。由於“古月軒”的名聲在鑒賞家、古玩商、市肆之中廣為流傳，更使琺瑯彩瓷器身價倍增。

琺瑯彩是一種特殊的凝厚彩料，施繪在瓷器上，微微凸起。開始使用時尚需進口，雍正朝已可以自己燒製二十餘種彩料。以這件“雉雞牡丹盌”可以看出，其色澤豐富艷麗，其製作精美絕倫。

這一“雉雞牡丹盌”胎骨極薄，近於“脫胎”。瓷質潔白，瑩潤似玉。整個畫面用粉紅、紫紅、藕荷、淡黃、藤黃、杏黃、藍、綠、赭等十多種彩料精心繪製，描畫出在盛開的牡丹花叢中雌雄二雉嬉戲的生動情景。盌的另一面以墨料題“嫩蕊包金粉，重葩結繡雲”五言詩句，字體運筆蕭洒圓潤；上有“佳麗”、下有“金成”“旭映”胭脂水篆體陽文章。底心有藍料雙方欄“雍正年製”款識。

琺瑯彩瓷器傳世品皆為清代“盛世”康、雍、乾三朝所作，此後製瓷業每況愈下，琺瑯彩瓷器隨之消聲匿迹。民國時期，北京瓷莊曾在景德鎮仿燒琺瑯彩瓷，但質量低劣，無法與之相比。

179

67. 粉彩牡丹瓶

清·雍正(1723-1735A.D.)
高27.5厘米
口徑6.3厘米
足徑8.6厘米

雍正粉彩是清代彩瓷中的又一名品。粉彩開始於康熙時期，是釉上彩的新品種，它以其溫潤柔麗、淡雅宜人的風韻博得美譽。

雍正粉彩的特點是在畫面彩繪部位用玻璃白粉打底，然後再施彩渲染作畫，從而產生濃淡不同、陰陽分明的藝術效果。或將玻璃白粉質摻於彩料之中，使之每種彩料調配成深淺不同的顏色。粉質玻璃白亦可作爲白色單獨使用。因而在色料的表現力方面，粉彩更爲豐富，有的彩繪器物用色多達近二十種。由於粉彩顏料中含有粉質，其燒成溫度較五彩低，色彩柔和，又稱爲"軟彩"。

粉彩的料同琺瑯彩料的化學成分中均引入了砷元素，因此可以認爲瓷胎畫琺瑯與粉彩所用彩料相類。粉彩是熟練的手工製瓷技能和精細的彩繪技巧相結合的產物。首先需要燒製薄胎體透、釉面無疵的白瓷，施彩繪畫後復入彩爐烘燒，其工藝程序與瓷胎畫琺瑯相同。雍正時期的粉彩瓷生產之所以躍居釉上彩瓷之首位，是同雍正六年二月自製"琺瑯彩"料的燒成有直接關係。當時不僅景德鎮御窯廠燒製，而且景德鎮各民窯也大量生產粉彩瓷器。但民窯製品的器形、瓷質、釉色以及繪畫技藝都較粗劣，遠遠趕不上御製粉彩精妙。

"粉彩牡丹瓶"是一件色彩潔潤秀麗的藝術品。瓶體造型美觀，瓷胎潔白，釉面瑩潤。盤口、瘦頸、腹部鼓圓，下腹內收，至足部外撇，圈足。底有青花"大清雍正年製"六字楷書款。瓶身以爭妍盛開的牡丹爲主題，色彩鮮艷。從畫面的操筆，設色運用自如，花朵枝葉的勾勒渲染，都能說明畫師的藝術成就。這一時期的粉彩的表現手法，由於有些畫家爲瓷器繪彩提供畫稿，因而使之具有淡雅宜人的格調。

雍正粉彩不僅有白地繪彩，也有珊瑚地、淡綠地、醬地、墨地、木理紋開光粉彩和粉彩描金等品種，裝飾技法雖各有千秋，但就繪畫效果而言，莫過於白地彩繪更能體現瓷器與書畫相結合的風格。

68. 粉彩鏤空轉心瓶

清•乾隆 (1736－1795 A.D.)

高41.5厘米

口徑19.5厘米

足徑21.2厘米

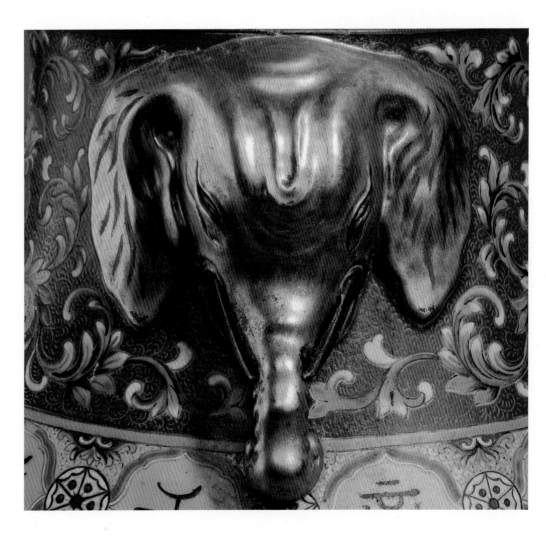

轉心瓶結構示意圖

清代前期的康、雍、乾三朝，攀登了製瓷工藝的歷史高峯。乾隆時期由於乾隆帝弘曆本人對於燒製瓷器刻意求精，加之當時官窰所具備的雄厚的人力、物質條件及較高的製瓷技藝，湧現出品目繁多的新品種以及精彩製品。

鏤空轉心瓷瓶是乾隆時期的獨特產品，製作技術難度很大，傳世品甚少。這件"粉彩鏤空轉心瓶"形體飽滿端莊。頸、腹不同常瓶，可以旋轉。瓶的頸部飾雙象耳，腹部鏤空四圓開光，瓶體裏套裝一個可以轉動的內瓶，其外壁繪有嬰戲圖，旋轉時透過鏤空開光可以看到內瓶上的不同畫面，猶如走馬燈的構造。轉心瓶在設計上更具微妙之處，在它可轉的頸部與固定瓶體上端分別標寫"天干"、"地支"，這樣在轉動頸部時又可作爲中國傳統"干支"紀年的萬年曆。轉心瓶的彩飾，口部以及象耳的金彩有赤金的質感，瓶體在不同色地上以琺瑯彩料描繪了花卉圖案。四圓

開光各以春、夏、秋、冬園林景致爲題材，鏤雕的花卉、山石以粉彩描繪。瓶裏飾松石綠釉，足底書青花六字篆款。

鏤空套瓶在宋代龍泉窰已有燒造，但不及乾隆時期製品精巧。至於轉心、轉頸式樣，則要求更高的燒製水平才能做到。轉心瓶的製作程序，首先把外瓶頸部、腹部、底部與內瓶腹部分四個單件燒成。外瓶的內底心做成凸起的鷄心鈕，內瓶底心做成與鈕相配的鷄心槽。組裝時將內瓶置於外瓶底部之上，使之鷄心鈕凹凸吻合，再將外瓶腹部套裝內瓶並穩在外瓶底座上，最後套放瓶頸。除旋轉部位外，外瓶腹、底之間，外瓶頸裏與內瓶肩部均用特製粘合劑粘牢，再修飾接痕，一件天衣無縫的作品即告成功。轉心瓶式樣各異，其結構大小不同。但在燒製過程中均要求內、外瓶體設計尺寸適度、鏤雕彩繪精細，且組合瓶體的各部燒成後要求不變形，足見工藝技術的高超水平。

69. 仿古銅犧耳尊

清・乾隆(1736－1795 A. D.)

高22.2厘米

口徑13.2厘米

足徑11.7厘米

乾隆時期的製瓷工藝，在於大量燒製彩瓷和單色釉諸類品種，並突出發展了特種製瓷工藝。當時的仿古器、仿外國瓷、以及仿漆、仿竹木器、仿銅器、仿珊瑚、仿翠、仿玉等等工藝品，無所不有。仿品不僅可以準確地表達出各類工藝品原物的色澤、質感，而且仿品的造型也與原器無二。"仿古銅犧耳尊"就是見於清·唐英《陶成圖畫卷》的一件傳世珍玩。

景德鎮御窰廠的督窰官吏在康熙時有臧應選、郎廷極、劉源等人，雍正朝有年希堯。他們督造的官窰因此分別有"臧窰"、"郎窰"、"年窰"之稱。世稱著名的"唐窰"是指乾隆二年至十九年（1737－1754年）督窰官唐英督理御窰廠窰務所製瓷器而言。唐英於雍正六年（1728年）到景德鎮御窰廠協理窰務。"唐窰"瓷器在仿古、創新方面有獨到之處。傳世的"唐窰"製品是不可多得的珍品。"唐窰"的卓越成就固然是在總結前人經驗的基礎上，通過集體勞動，積累集體智慧的結果。但作為御窰廠窰務的組織領導者——唐英，確作出了重要的貢獻，成為中國製瓷工藝史上一位傑出的理論和實踐相結合的人材。他不僅是製瓷專家，又具備很好的文學、藝術修養，能自行出樣。他所寫的《陶人心語》、《陶成紀事》以及所編纂的《陶冶圖說》均為研究製瓷工藝史的重要資料。

《陶成圖畫卷》中的"仿古銅犧耳尊"，是"唐窰"的精心代表作之一。尊體古樸典雅，器形仿戰國錯金銀銅尊，整個器物的色澤、金銀鑲嵌紋飾和銹斑都仿古銅器。仿製品所飾茶葉末釉，充分體現出古銅器所具有的沉着色調。茶葉末釉屬古代鐵結晶釉的範疇。釉面呈半無光狀態，在暗綠的底色中閃爍着自然的黃色星點。唐、宋時期已見有這類釉色，明代更不乏其例。清代"臧窰"有"蛇皮綠"、"鱔魚黃"等品種，雍正、乾隆時期這類製品稱之為"蟹殼青"、"茶葉末"，並被列為當時官窰的秘釉。這件"仿古銅犧耳尊"就是這類釉色的精品。

70. 各色釉大瓶

清·乾隆（1736－1795A.D.）
高86.4厘米
口徑27.4厘米
足徑33厘米

清代景德鎮御廠官窰器各種色釉名目繁多。"各色釉大瓶"集合了高溫、低溫色釉以及釉上、釉下彩繪於一器，是一件標誌着高超製瓷技藝的代表作品。

"各色釉大瓶"是目前故宮博物院所陳列的陶瓷中形體最高大的一件。器高近90厘米。造型莊重，洗口，夔耳，瓶腹飽滿。自口至器底各種釉、彩裝飾達十餘種之多。瓶口沿以金彩描畫，以下諸層順序為紫地、綠地琺瑯彩各一周，分別繪有花卉圖案，紫地之上尚有似針撥軋道紋樣。其下仿汝窰釉一道，在天藍色釉面上呈現魚子紋細小開片。頸部青花繪飾纏枝花卉，雙夔耳飾金彩。又下為松石綠釉一道。再下為仿鈞釉，釉面呈現出交融斑斕的窰變色彩。以下是鬥彩花紋一圈，下為粉青釉，上面並模印皮球花圖案。各層釉色之間有的描以金彩一道，使各釉色品種鮮明突出，亦更富有裝飾美。瓶腹以藍釉描金為地，其上有十二幅長方開光，分別彩繪不同畫面，構成器物的主體紋飾。下部一層仿哥窰釉。又為青花紋飾一周。再下為畫有花瓣紋的淡綠釉。其下為紫金釉描有金彩回紋一道。近足部為仿官釉，在灰藍色釉面上點綴本色紋片。足邊以描金羊肝色釉一圈裝飾。自上而下各道色釉、彩繪無一瑕疵，反映出工藝成就的卓越、全面。

乾隆時期，釉下、釉上彩瓷的燒造技藝已十分成熟，青花、鬥彩、琺瑯彩、粉彩、金彩等都已達到爐火純青的地步。高溫或低溫的各種色釉——粉青、松石綠、霽藍、紫金釉的燒成也掌握得恰到好處。尤其是仿燒宋代汝、官、哥、鈞諸名窰釉色，竟可仿汝超汝、仿鈞超鈞，達到有過之而無不及的程度。汝、官、哥窰器都以釉面"開片"見長，但釉色、紋片又各不相同。汝器開片碎小。官窰紋片與釉色一致。哥窰紋片顏色是大深、小淺兩種交織組成。"開片"的變化本無規律可尋，但是匠師可以準確無誤地"表現"出各個名窰的特徵，足見其得心應手的造詣。仿鈞釉更能把"窰變"釉色遂心所欲地表現出來。如此精湛的工藝製品，只有在全面掌握胎質、釉料、彩繪、燒成等各項製作技術條件下才能燒造出來。

大瓶的十二幅開光畫面十分精緻，選材多取諧音字義、祈頌吉祥的傳統內容。六幅寫實畫面分別為繪有三羊的"三陽開泰"；童子擊磬、烹茶圖畫的"吉慶有餘"；畫鸞鳳牡丹的"丹鳳朝陽"；畫馱有寶瓶大象的"太平有象"以及"庭園景"、"博古圖"。六幅圖畫間以"萬"、"福"、"如意"和象徵祥瑞的仙草、靈芝以及其它花卉的圖案。大瓶以眾多的畫面配合層次繁密的各類釉色，給人以目無暇接、琳琅滿目的藝術效果。

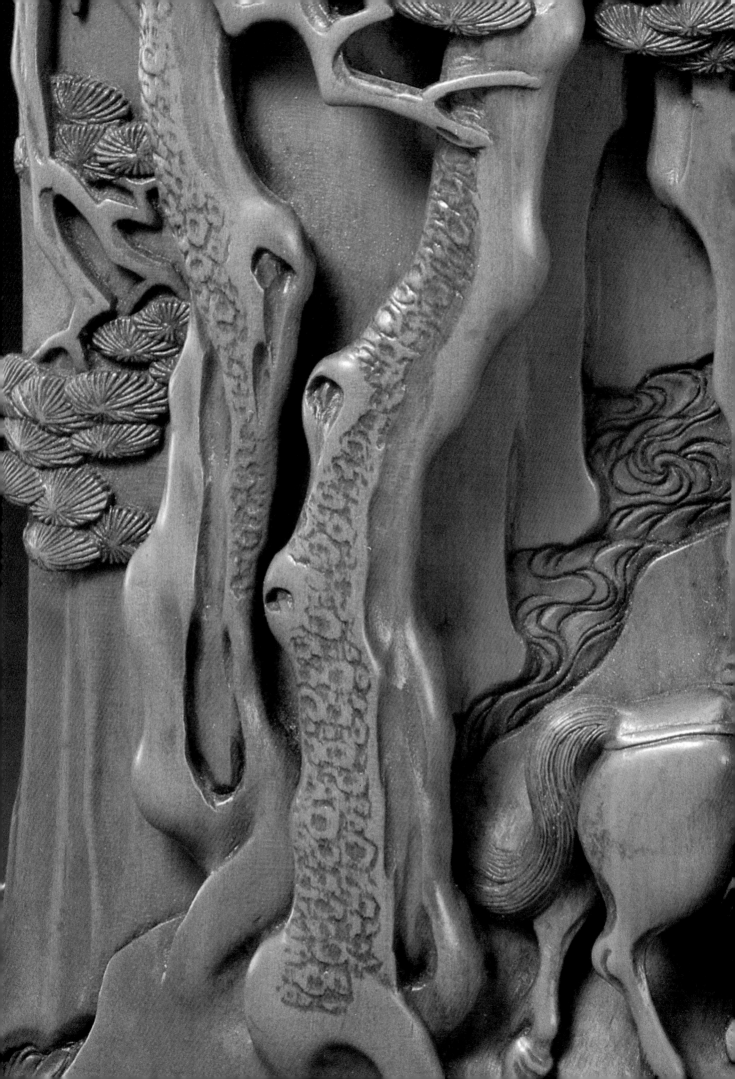

工藝美術

工藝是隨着人的生活需要從無到有，由簡而繁。凡製造一切器物都包括工藝的過程。遠在石器時代已經如此。人們在實際使用的要求之外，還希望美觀。於是在選擇原料時要質美，製造時要造型美、光澤美，再增加裝飾花紋，這樣就產生了工藝美術。隨着人的衣、食、住、行的需要，一切器物和工具，逐漸進化分工。從文獻上知道商、周時代已經有國家設官管理的土工、金工、木工、草工、石工、革工等等分工製造的記載。

商、周以下，歷代都有規模龐大的官辦工藝。如漢代的尚方署、唐代的少府監、宋代的文思院、明代的御用監所屬各局廠、清代的養心殿造辦處等，各個時代都有不同的分工行業。從傳世的和出土的實物，可以看出各個時代有各個時代的製造風格。從漢、唐到明、清，除官方的手工藝製造以外，還有民間的作坊和個人手工藝者，以及業餘某種美術工藝的愛好者，都各有精緻的作品傳世。至於他們之間的關係是相互影響的。例如：本書所載"剔紅梔子花圓盤"的作者張成是元代民間一位漆器製造者。他的兒子張德剛，繼承父業，明永樂年間他的作品在日本、琉球都很著名。皇帝召他到北京營繕所領導製作，從傳世的有張德剛歀的漆器和永樂、宣德年歀的漆器可以看出這一時期的漆器就是繼承了張成一派的。漆胎厚潤，刀法明快，磨工大於雕工的風格；而且又擴大了製作器皿範圍，增多了作法品種，新穎美觀。

明初，南京官方設廠製造掐絲琺瑯器，由雲南人担任製造。到了景泰年間北京製造掐絲琺瑯器的數量和質量都大爲提高，各種器皿釉色鮮明堅實，掐絲勻密，在原來基礎上有很大發展，出現了"景泰藍"這一名稱，代表着官方工藝的標準。還有本書册所載大明萬曆年製的"黑光漆嵌螺鈿大案"，是明代"御用監"製造的。案面上的五龍圖案和面底的年歀都是"御用監"的特徵。明代的工藝美術品，民間和官方的相互影響，從漆器、景泰藍、像具三個行業作品的歷史面貌，可以說明總的發展規律。此外，如元代製銀器的朱碧山，明、清之際雕刻犀角的尤通，都不是工匠。這類型作者的特點是技術高，文化水平也高，愛好某一項工藝美術成爲癖好，常常出現立意清新的作品，產生很大的影響。

清代的工藝美術家，如本畫册所載"黃楊木雕對弈圖筆筒"的作者吳之璠，是民間的刻竹名家。他所繼承明代嘉定派的刻竹，在清初雕刻藝術領域裏影響很大。畫册所載黃振效的"象牙雕漁樂圖筆筒"，是完全用嘉定派刻竹的方法。他是廣東人，但作品和廣東牙匠的風格截然不同。廣東雕刻象牙的行業是很旺盛的，作品多是寶塔、龍舟、多層透雕可轉動的球等，以玲瓏剔透取勝。在養心殿造辦處"牙作"的工匠多來自廣東。雍正九年（1731年）嘉定派刻竹名家封始岐被召入造辦處在"牙作"當差。他的象牙雕刻沒有龍舟牙球一類的作品，給象牙雕刻樹立了清逸俊雅的新風。乾隆初年又命封岐（在造辦處的名字）試做雕漆器。乾隆時代的雕漆器，刀法不藏鋒，稜綫清楚有力，運刀如筆，不見磨工的風格，成為乾隆時代雕漆的特徵。

造辦處"玉作"，雍正年間選進的玉匠胡德成、鄒學文、鮑友信、王斌、陳宜嘉、姚漢文、姚宗江等，當時叫作南匠。這些南匠是"玉作"的主要作者。如鄒學文、姚宗江製玉之外還是古玉鑑定家，姚的祖、父都是玉匠。明、清以來蘇州專諸巷是高手玉匠集中的地力。乾隆年間造辦處"玉作"的主要玉匠倪秉南、張象賢、張君光、賈文運、張德紹、蔣均德、顧觀光、金振寰等，都是從蘇州選進的。他們擔任一般的製造和修理。遇有大件製作，需用更多的人，如畫册所載"大禹治水玉山"，就是由"玉作"的玉匠完成打坯的工序，然後交兩淮鹽政在揚州僱用許多蘇揚的玉匠集體製造。

造辦處"琺瑯作"，製作銅胎、磁胎、玻璃胎、宜興胎等四種胎骨的畫琺瑯，也是多方面通力合作的。"琺瑯作"的宋七格、鄧八格是煉製琺瑯料和完成燒造的。胡大有是吹釉的。繪畫的宋三吉、周岳、吳士琦是江西畫磁器的人。張琦、鄺麗南是廣東的畫琺瑯匠。林朝楷，廣東人，是畫家郎世寧的徒弟。賀金昆、湯振基、戴恒、鄒文玉、張維奇、郎世寧是畫院處的畫家。寫款人徐同正是武英殿修書處的寫字人。在琺瑯彩磁器上寫詩句的武英殿待詔戴臨，是有名的書家。磁胎是由江西燒造磁器處的年希堯負責，燒造脫胎填白磁器。紫沙胎、白沙胎是宜興燒造的。玻璃胎是由造辦處玻璃廠燒造的。每一件成品主要經過這樣多方面的人才，共同創作。造辦處二十四個"作"的成品，在不同程度上都需要合作。以上四個"作"的情況，可以代表着造辦處的特點。

總之在雍正朝，由怡親王允祥領導下的海望、唐英、沈嶼等，都是富有設計才能的人。又有許多畫家擔任畫樣。而雍正、乾隆自己也常常提出具體規格要求，所以才能出現極為精緻的成品。

71. 大聖遺音琴

唐‧至德元年（756 A.D.）

通長120厘米

肩寬20.5厘米

尾寬13.4厘米

厚5厘米

底厚1厘米

"大聖遺音琴"，桐木製，栗殼色漆與黑漆相間，局部略有硃漆脩補。金徽玉軫，形制渾厚，圓形龍池，匾圓形鳳沼，琴背題名，大印及銘文都是製琴時鑴刻的。腹欵硃漆書"至德丙申"四字在池的旁邊。製琴的時間，正當安祿山叛變，唐明皇入蜀，太子在靈武即位改元至德的時候。此琴造型優美，色彩璀璨古穆，是琴中之寶。

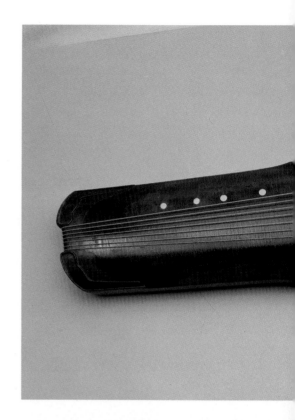

"大聖遺音琴"，原藏於養心殿南庫。養心殿是清代皇帝的寢宮。南庫是收藏貴重物品的庫，說明當時確是把它看得很重的。南庫雖是皇帝的珍品庫，但溥儀出宮後，清室善後委員會入宮點查時，南庫已因年久失修，屋漏處泥水下滴正中琴面，不知已過多少歲月，長期泥水滯留，琴面上凝結了一層堅厚的水銹。琴色灰白，已破敗不堪了。於是就其原狀另外入庫保存。一九四七年經故宮博物院的編纂王世襄鑑定爲唐琴珍品。一九四九年徵得原故宮博物院院長馬衡的同意，延請著名古琴家管平湖來院修理，經歷數月，一層水銹徹底清除乾淨，原來漆面居然絲毫無損，並照原樣重新安排了紫檀岳山（琴上的一個部件名稱）。雖然經過若干歲月的泥水浸蝕，但琴面鹿角漆胎仍堅固異常，千年古琴所以能流傳後世，確因其製造精良。"大聖遺音琴"經此次修整，神采照人，恢復了應有的面貌。修整完好以後曾經管平湖試彈，琴音清脆鬆透。明、清以來的琴書中總結出古人認爲最好的琴音具有：奇、透、潤、靜、圓、勻、清、芳九個特點，稱爲"九德"，古人說其備"九德"的琴是罕見的。據現代古琴家鄭珉中鑑定，"大聖遺音琴"屬於"九德"兼全的，也就是說能給人以完美悅耳的音響效果。傳世的唐琴有五張，故宮博物院藏有"九霄環佩琴"、"飛泉琴"和"大聖遺音琴"。

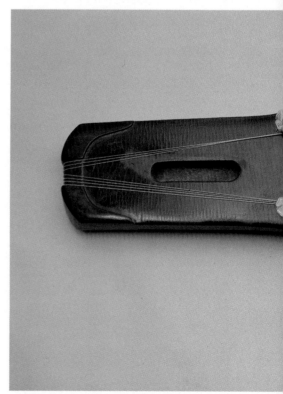

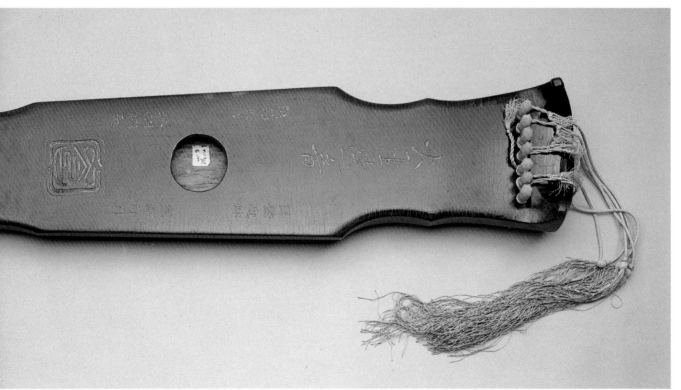

72.剔紅梔子花圓盤　73.剔紅觀瀑圖八方盤

剔紅梔子花圓盤

元（1271－1368A.D.）

張成

直徑16.5厘米

高2.8厘米

剔紅觀瀑圖八方盤

元（1271－1368A.D.）

楊茂

直徑17.8厘米

高2.6厘米

剔紅，是雕漆工藝中的一個品種。它是用籠罩漆調色，在器物胎骨上層層積累到一個相當厚度，然後用刀雕出花紋。凡是紅色漆雕的器物，叫作剔紅器。據有關漆器文獻記載：唐代的剔紅器，花紋和地子都是紅色，而且在一個平面上，沒有高低之分。還有一種花紋和地子異色，高低也有差別的，叫作陷地黃錦剔紅器。宋、元的剔紅器，刀鋒不顯露，凸起的花紋都很圓滑。

唐、宋的剔紅器，未見實物傳世。這裏所介紹的這兩件元代剔紅的風格，與文獻記載宋、元剔紅器特點是相符的。大體上宋、元剔紅器風格是一致的。

張成造"剔紅梔子花圓盤"，正中雕盛開的雙瓣梔子花一朵，旁雕含苞待放的梔子花四朵，全盤都爲

花葉佈滿，不雕錦地。筋脈舒捲有力，渾厚圓潤，生動樸實。這種富有生命力的效果，絕不是僅僅抄襲花卉繪畫或其他雕刻品可以達到的，可以看出作者是熟練的掌握了雕漆的一切表現手段和熟悉漆的性能優點；又經常能觀察事物，將自然界發現新鮮活潑的形象，立時選擇過來，集中表現在作品上，才有這樣的效果。

楊茂造"剔紅觀瀑圖八方盤"，中間八方開光雕松軒。軒右一老人臨曲檻，眺望對山瀑泉，軒內外童子各一人。天空、地面和水，用三種不同花紋錦地雕成。盤旁雕仰俯花朵組成的圖案。

以上兩件都是黑漆底，靠近足邊有針劃欵"張成造"、"楊茂造"。明代永樂、宣德時代的剔紅器，繼

196

承了張成，楊茂一派，而且種類大大的豐富起來。作品色澤悅目，漆質細膩，能在造型渾厚的器皿上雕出活潑生動的形象。自張、楊到明初，技法的主要特點是刀法明快，磨工大於雕工。大體上說，永樂、宣德可劃爲一個時期。不過宣德的某些作品，漆漸減薄，而地漸疏，已開始有自己的風格。到嘉靖時代變化很大，雕法由藏鋒圓潤轉向刀痕外露；到萬曆而再變，佈局非常繁密而纖細，是其特色。

元代及明初的雕漆，以花卉爲題材的，如梔子花、茶花、菊花、牡丹、玉簪等等無不花葉密佈，沒有錦地（即花下空白雕錦紋）。山水人物則有錦地，但錦紋較大較粗。總的說來，嘉靖時的雕漆錦地比永樂、宣德時的錦地細的多，萬曆時的錦地又比嘉靖時的錦地更細，並且不論花卉、山水、人物、禽獸等等都有錦地。錦地由粗而細，也是明代雕漆演變發展的規律之一。以上都是指官家製造的雕漆而言。還有一種構圖比較粗獷，刀法快利，顯露刀痕的風格，都是沒有年欵的，民間氣息比較濃厚。與官家製造的相比，雖有文野之分，粗細之別，但樸質豪放，藝術價値並不低。

清代雕漆重刻工而輕磨工，到乾隆更加精巧。北京和揚州這兩個地區到現在還大量製造。除一般產品外，比較精細的作品往往較多的繼承了乾隆時期一般的風格，花紋多，層次多，刻工細，成爲主要的追求目標。而沒有從元、明作品中，如本畫冊所載張成、楊茂的作品吸取優點。

74. 銀槎盃

元（1271－1368 A.D.）
朱碧山
高18厘米
長20厘米

朱碧山，浙江嘉興人，以善製精妙的銀器而負盛名。元代名人柯九思、虞集、揭傒斯、杜本等，都曾請他製銀盃，或爲他的作品題句。其後的陶南村、陳眉公、朱竹垞、王漁洋、高江村等明、清諸名家，對他的作品，都以詩文詠讚不絕。

銀酒器傳世最早的實物是戰國時期(公元前475—221年)楚國銀匜（音宜）（現藏故宮博物院）。南北朝時，也有銀酒器的記載。到唐代，銀製的用具更加豐富，並有雕刻紋飾的酒盃。乘槎形的酒盃是一件具有詩意的藝術形式。宋以前未見有槎形盃傳世，只盛行於元、明兩代。

朱碧山所製銀器，據前人的記載，品種和數量是相當多的。朱碧山製的這件龍槎，原陳設在紫禁城內重華宮。在元代是酒器，到了清代已經把它作爲古藝術品看待，不再當實用的酒器，升格爲陳設品了。

龍槎是白銀鑄成以後再施雕刻的。盃上仙人的頭、手、履等部分是鑄成後焊接上去的，但渾然無痕，如一體鑄成。槎身作老樹槎枒之狀，一仙人倚槎而坐，手中執卷。槎尾刻"龍槎"二字，盃口下刻"貯玉液而自暢，泛銀漢以凌虛，杜本題"行楷十五字。槎腹刻"百盃狂李白，一醉老劉伶，知得酒中趣，方留世上名"楷書二十字。槎後刻"至正乙酉，渭塘朱碧山造於東吳長春堂中，子孫保之。"楷書二十一字。鈐"華玉"章一。

槎盃的造型是從仙人乘舟凌空到了天河的神話故事而來。槎的意思就是樹槎。人們設想，也可以說是藝術構思，仙人乘的舟，一定不同於凡人。所以就設想出一個樹槎形的獨木舟來。也有人附會漢朝張騫尋找黃河之源，說張騫乘槎上天河，這又是神話中的神話了。這件槎盃的題句"貯玉液而自暢"就是說此槎是盛酒自己享受，"泛銀漢以凌虛"就是指上述仙人乘槎飄到天河的神話故事。

這件銀槎盃是一件富有傳統繪畫與雕塑特點的工藝品。由此不僅見到朱碧山的藝術修養，也標誌着元代鑄銀工藝的高度技術水平，是工藝美術史上的重要作品之一。

75.銅招絲琺瑯番蓮花大碗　76.銅招絲琺瑯纏枝蓮觚

銅招絲琺瑯番蓮花大碗

明·宣德(1427-1434 A.D.)

口徑26.6厘米

高13.7厘米

足徑13厘米

尺寸原大

銅掐絲琺瑯這種工藝美術品，在明代景泰年間大量製造，所以又名"景泰藍"。早在元朝已經出現這種工藝。元人《吳淵穎詩集》中有詠"大食窰"詩一首，具體描述了大食瓶的質地、尺寸、色彩、花樣，胎盤的光滑清堅，可以看出"大食瓶"就是銅掐絲琺瑯瓶。詩中並明確的說這是從波斯（即現在阿富汗、伊朗等地區）來的物品。吳淵穎卒於元至元六年（1341年），這首詩說明這項工藝當時在中國還是一個新工藝。明朝初年曹明仲的《格古要論》裏面，叙述燒造瓷器的窰別，曾說到"大食瓶"，是以銅作身，用藥燒成五色花；又說雲南人在南京，有以此爲業的，製造瓶、盒、香爐、酒盞等。皇宮內製造的，更細潤可愛等語。從傳世的實物來看，有年欵的銅掐絲琺瑯器，還未發現更早於宣德年製的。宣德年距離吳淵穎已近百年，這項工藝的製造技術已逐漸達到成熟的階段。

故宮博物院藏品中有"大明宣德年製"六字欵和"宣德年製"四字欵的銅掐絲琺瑯器。器上的銅鍍金裝飾和當時一般銅鍍金器的裝飾相類。器物類型有：爐、瓶、盒、盤、盌等等。釉料色彩多藍地，在銅掐絲花紋輪廓內有紅、黃、白、綠等花色。也有以白色爲主的，如畫册刊載的"番蓮花大碗"：白色地，上有紅、黃、藍、綠等色大花數朵，圖案簡練，色調鮮明，花朵飽滿，枝蔓舒捲有力，是宣德時期比較突出的製品。這時期的仿古銅觚、尊等器和仿瓷形體的器皿居多。其中盈尺的重器，釉料堅實，鑲銅渾厚，鍍金燦爛悅目。

到了景泰年間這項工藝更爲繁榮，產品有高與人齊的大觚，高約二、三尺的尊、罍、壺、鼎等仿古銅器的器物。從體積尺寸來看，製造技術又進了一步。在瓶、盤、爐、花插、炭盆、面盆、花盆、薰爐、燈、蠟臺、盒等等器物上又出現了許多新花樣。這時期的釉料與宣德時代相同的顏色有：天藍（淡藍色）、寶藍（青金石色）、紅（雞血石色）、淺綠（草綠色）、深綠（茱玉色，有半透明的質感）、白（車渠色）。宣德釉，光彩少遜於景泰。新出現的、爲宣德時代所未有的釉料有：葡萄紫（紫晶色，有玻璃質感）、紫紅

（玫瑰色）、翠藍（在天藍和寶藍之間而色亮）。如本畫册刊載的景泰欵"纏枝蓮觚"，色彩奪目，光亮如有一層玻璃釉，器不大而體重，並且掐絲勻實，磨光細潤等等都是在宣德時代基礎上的又一步提高。"景泰藍"這個名詞也隨着而著稱於世。

景泰以後，有欵識的器物，傳世不多。故宮藏品中有嘉靖欵的盤、"大明萬曆年造"寶藍色地五色雙龍，鼎式四足爐。爐蓋不用銅鍍金鏤空，而用琺瑯鏤空，是這個時期的新作法。還有燭盤，淡青色地，只有黃、紅、白色花苞。還有紅、白、赭諸色花蝶爐，是這一時期的新圖案花紋。赭色和淡青色是這個時期的新釉料。

明代銅掐絲琺瑯器，無年欵的傳世很多，也都是景泰以後的產品，其中有不少出色的。例如故宮藏品中有瓜形燈座，與眞實的大南瓜尺寸相若，下有銅鍍金枝蔓作足，上有銅鍍金葉蔓以承燈頸，瓜色在黃綠之間，綠葉黃斑，似畫筆烘染。景泰欵諸器中尚未見有此種作法。還有些器物，形式仿古銅而紋飾用花鳥，都是前所未有的。在無欵器物中有些胎骨輕薄，釉料滯暗，但也是明代的製品。

清代初期，武英殿造辦處設有"琺瑯作"，後拼入養心殿造辦處。從故宮藏品來看，康熙時代的銅掐絲琺瑯，無大發展，但胎骨厚重，釉料堅實，保持了明代官欵器物的水平，而釉色不鮮明，有康熙年欵的很少。到了乾隆時期，這項工藝和雕漆、織綉，百寶嵌等各種工藝美術品同時出現了空前的繁榮。首先是製造範圍的擴大。除繼承以往的品種以外，大至丈許的屏風、桌椅、床榻、楹聯、插屏、掛屏，小至筆床、酒具、硯匣、卷簽、書畫軸頭等都有，室內陳設和用具無所不備。宮中和避暑山莊的廟宇內還有高與樓齊的琺瑯塔。這時期的製造技術方面，出現了粉紅和黑色的新釉料，但明代呈半透明紫晶光澤的葡萄紫色，變成灰紫色。明代如車渠（一種礦物名稱）純白的釉料，到此時變灰白，其他釉料亦缺乏玻璃感。但胎骨厚重不減於明代，鍍金技術超過以前，掐絲細密、金碧輝煌的評語還是當之無愧的。

77. 紫檀荷式大椅

明（1368－1644 A.D.）
高115厘米
寬84厘米

古代席地而坐，沒有椅子。床是臥具，也是坐具。五代畫家顧閎中畫的《韓熙載夜宴圖》中已經有椅子和綉墩。到了宋朝，椅子已漸漸流行。而且椅子名稱很多，有"金交椅"、"銀交椅"、"白木御椅子"、"檀香椅子"、"竹椅子"、"黃羅珠鐙椅子"等等。

南宋前期，椅子雖然已經相當普遍，但可能只限於士大夫家廳堂裏會客用。至於內室起居還習慣於坐床。宋、元時代椅子名目雖多，還沒有用紫檀木製作傢具。到了明代，紫檀木才開始盛行。紫檀椅子，也有很多類型。這件"紫檀荷式大椅"，屬於單獨陳設類型的傢具。沒有成對的，可姑且稱之爲床式椅。這種椅子在皇宮中可以和屏風、宮扇在一起，設在屋宇明間的正中，成爲便殿寶座的形式。在住宅或花園中，可以設在大書案的後面，當作寫字看書用的，或設在面窗對景的地方。總之這種大椅在室內是有固定位置的，不輕易挪動。明朝人所謂"仙椅"、"禪椅"，都是爲默坐凝神，可以盤足後靠。椅背上有一寬厚的橫木，作枕頭用的。這種椅和本畫册所載的，都是同樣用途。

"紫檀荷式大椅"的製造，除座面是光素的以外，荷花荷葉佈滿整體。背上枕頭處很巧妙的是一柄荷葉，整體的做工光滑圓潤。凡傢具上雕刻花紋，都是經過高度圖案化的，而這件紫檀大椅上面的荷花、荷葉、梗、藕，自上而下，是以花葉的自然形態佈滿整體，很像元、明時代雕漆花卉盒盤一類的手法。在傳世的明代傢具中僅此一件。不僅雕飾上有如上的優點和特點，更主要的是：取材厚重，木質精美，造型圓渾，舒適耐用。符合傢具藝術的最佳標準。

78.黑光漆嵌螺鈿大案　79.黑光漆嵌螺鈿盒

黑光漆嵌螺鈿大案
明·萬曆(1573－1619A.D.)
高87厘米
橫長197厘米
寬53厘米

螺鈿，就是在漆器上嵌蛤蚌殼作爲裝飾。一九六四年在洛陽龐家溝西周墓出土的鑲嵌蚌泡的朱黑兩色漆器托，是現在已經發現的最早的實物。到了唐代的漆背嵌螺鈿鏡，更是這項工藝比較成熟的器物。元至明初是螺鈿工藝的大發展時期。元大都出土的嵌螺鈿廣寒宮圖形殘器，是平脫薄螺鈿的做法，十分精緻。這是唐、宋以來，從鑲嵌較厚的螺鈿的方法上，又開創了嵌薄螺鈿的方法。厚螺鈿有潔白如玉的，有微黃作牙色的。薄螺鈿有青色閃綠光，有淡青色閃紅光的，有深青色閃藍光的。嵌薄螺鈿是在花紋畫面的不同部位，採用不同色澤的螺鈿，鑲在漆器上，使它達到近似設色的效果。這件"黑光漆嵌螺鈿大案"，屬於厚螺鈿的做法，又稱硬螺鈿；"黑光漆嵌螺鈿盒"，屬於薄螺鈿，又稱軟螺鈿。

"黑光漆嵌螺鈿大案"，平頭式，四足縮進安裝，不是位在四角，這是明代流行的一種最普遍的形式。案面嵌螺鈿五龍，通體龍紋，"大明萬曆年製"款在案面下。故宮博物藏品中，有萬曆年款的大案只此一件，這是明代"御用監"的製品。

"黑光漆嵌螺鈿盒"，長方形，盒面嵌薄螺鈿間描金"職貢圖"。畫面下半部爲三孔大石橋，用不同色的鈿片嵌成"虎皮石"砌橋的做法。橋上有二十七人，其中有驅象的，牽獅子的，曳駱駝的，有二人抬一大木籠的，手中捧珊瑚明珠的。內有高冠勾鼻虬髯的人。石橋盡端與欄杆相接，欄杆外，下臨澗壑，內爲平道，行人絡繹成行。道路斜上，直通大殿，殿外在地上叩拜的十七人，左右有人侍立。殿後還有重重的宮闕，天空用金勾出流雲及卷雲紋，雲間露三龍頭用螺鈿嵌成。最上部爲峯巒叢樹，山頂用金作皴，也有以渾金作山，留出綫條，作爲輪廓。山壑佈滿石樹。山石用鈿片或鈿沙嵌成，也有用赭色漆略微堆起，上面描金的。從漆質、形制及圖案來看，當是清康熙時代所製。這是軟螺鈿加描金的做法，效果是色彩艷麗的工筆金碧山水畫都難以比擬的精品。

黑光漆嵌螺鈿盒
清（1644-1911A.D.）
高6.8厘米
長40厘米
寬34.1厘米

80. 匏製瓶

清·康熙(1662－1722 A.D.)
高23.8厘米
口徑4.3厘米
足徑6.8厘米
尺寸原大

匏（音 pao）器，又名葫蘆器，是中國特有的一種人工與天然相結合的工藝美術品。這種工藝是把初生的嫩匏納入模範中，使它長成各式各樣的器物。天然果實的形態方圓悉隨人意，不施雕琢而花紋款識勝過雕琢，宛若天成。

中國匏器這種工藝美術品歷史悠久。日本法隆寺原藏有來自中國的“唐八臣瓢”，器形似蓋罐，圖像爲人物三組。據文獻記載，在明代有花紋和文字的匏器已是民間常見的一種工藝美術品。

清代宮中範製匏器，始於康熙時期。故宮的藏品有年款的匏器尚未見到有早於康熙的。乾隆十二年丁卯（1747年），御製《詠壺蘆器》詩，序中說：康熙時命奉宸院種植葫蘆，把不同器形的模子套在嫩葫蘆上面，等待葫蘆長大成熟，就可以做成想要做的碗、盂、盆、盒形匏器。乾隆還有詩詠康熙的一個葫蘆椀。詩裏面提到康熙在西苑（即中南北三海）豐澤園，曾經種植葫蘆。這裏是康熙親自選擇優良稻種的試驗田，並且說所詠的這個葫蘆椀，底有“康熙御製”的款識，色澤古穆，已是百年（距離乾隆題詩的時間）的物品了。

葫蘆器的製造，雖然是用雕成的木模，包在嫩葫蘆上等待它漸長漸滿，天然長成，但千百件中僅成一、二完好的，很難得。所以葫蘆器精品還是非常珍貴的。

康熙時的匏製盤椀，有相當多是光素的，通體只有弦文三道，黑漆裏，足內有“康熙賞玩”楷書款。它們可能是早期初試範匏時的製品。後來的“六瓣椀”、“纏枝蓮壽字盒”、“八方筆筒”上面模印唐人五言流水詩等器就和初期製品不同了。造型和紋飾都很妍美。這裏介紹的蒜頭瓶就是這類面貌。瓶肩有仰俯雲紋，腹有蓮紋，由於瓶身分瓣，顯得花紋格外突出，而且色如蒸栗，瑩澈照人，是匏器中的珍品。

81.犀角槎盃　82.黃楊木雕對弈圖筆筒　83.象牙雕漁樂圖筆筒

犀角槎盃

清（1644－1911A.D.）

尤通

長27厘米

寬11.7厘米

黃楊木雕對奕圖筆筒
清（1644－1911 A．D．）
吳之璠
高17.8厘米
口徑13.5厘米

　　雕刻藝術，自宋朝以後有個新的風尚，就是牙、角、竹、木、金、石等材料雕刻的小型器物，當作几案上可與文房四寶一起陳設的清供。元、明兩代這類工藝美術品異彩紛呈，燦然奪目。清代又有許多名家，出現了不少精心的作品。這裏刊載的"犀角槎盃"、"黃楊木雕對奕圖筆筒"和"象牙雕漁樂圖筆筒"，就代表着明末到清前期的精品。

　　犀牛的角，是非常珍貴的藥材，再經名手雕成酒盃就更可貴了。這件槎盃的作者尤通，生於明朝末年，江南無錫人，是一位善於雕刻犀角、象牙、玉石玩器的名手。少年時期，他的親戚家有一個寶愛的犀角盃，被他父親借來賞玩。正值尤通家有一枝新犀牛角，於是就仿製了一個犀盃，款式、紋飾都與原物相同。但因為新的犀牛角顏色和舊犀盃不同，他搗鳳仙花的汁，按照染紅指甲的方法把新仿製的犀盃染成舊犀盃的色

澤，拿給他的親戚看，物主也不能辨認是否原物，足見尤通少年時的技藝已經很高明。所以人稱他為尤犀盃。後來到了清朝康熙年間，他被徵召入宮內，為皇帝製作器物。年老回家以後說，在宮內曾在一個比桂圓還小的珠玉上刻赤壁賦。說明他老年的技藝更精進了。

　　這件槎盃是他的代表作之一。槎的解釋已見前面朱碧山製銀槎　文。這件槎盃和朱碧山所製是一個題材，但槎的式樣、仙人的神態等等都不同。就如畫家們同畫一題材，而各有不同的表現方法就有不同的面貌是一個道理。相同的是它們的用途都是喝酒的盃。

　　"對奕圖筆筒"的作者吳之璠字魯珍，別號東海道人，是清代刻竹名家之一。明以前沒有專以刻竹著名的，自明中期以後，有嘉定人的三朱（朱松鄰、朱小松、朱三松），金陵人的李、濮（李耀、濮澄），都

是刻竹名家。所謂嘉定、金陵兩派就是指他們而言。吳之璠，就是朱三松以後嘉定派第一名手。他刻竹年款多在康熙前期，也就是他創作最旺盛的時期。這件筆筒是黃楊木雕，但刻法與竹筆筒無異。刻竹的方法有兩大類：一類為竹面雕刻，如筆筒、扇骨、臂擱等；一類為立體圓雕，如用竹根刻成立體形象及器物。竹面雕刻中有陰文、陽文之分。陰文、陽文中又各有若干具體不同的刻法。如這件筆筒，是屬於陽文的高浮雕。對弈圖的題材，是晉朝的太傅謝安與客下棋。這個畫面謝安的身旁是一個觀局者，身後有幾個侍者，對面是下棋的客，是一幅近景。為了人、樹、山石等格外凸出，所以高處要更高，低處就必須更低，這就是學三朱的方法深淺多層。高凸處接近立體圓雕的意思。對弈的客人注視着棋盤，而謝安和觀局者正向客人有所詢問，更表現出棋高一着，伸手就要勝幾着棋

的神態。另一面是飛騎報捷的人員，手持紅旗，侍女們則互相竊說，彼此呼應。非常生動。署款「槎溪吳之璠」。有乾隆御題詩一首。

「象牙雕漁樂圖筆筒」的作者黃振效，是廣東的名手。由當地督撫保薦，被召入養心殿造辦處。這件筆筒署款「小臣黃振效恭製」年月是乾隆戊午，即乾隆三年（1738年）。他於乾隆四年（1739年）正式在「牙作」當差。這件筆筒可能是初到造辦處呈覽供審查的樣品。黃振效雖然是廣東人，但他的作品卻不是廣東雕牙的風格，而完全是嘉定派竹刻的高浮雕方法。刻劃了傍山靠水的漁家樂圖景。構圖採取壁立山崖的三面，一面是水中一舟將從蘆蕩中撐出來，一舟前行；崖上刻乾隆御題詩一首。一面為岸上松蔭下五人聚飲。一面為松坡。署款在坡下。這種高浮雕已接近立體圓雕，物像極為生動，是牙雕器物中的上品。

象牙雕漁樂圖筆筒
清·乾隆三年(1738A.D.)
黃振效
高12厘米
口徑9.9厘米

84.大禹治水圖玉山

清

乾隆五十二年(1787A.D.)

高224厘米

寬96厘米

重約5,330公斤

214

"大禹治水圖玉山"，用密勒塔山青白玉製成，下面承以銅嵌金絲、燒古色山形座。玉山雕刻着崇山峻嶺、古木叢立、洞壑溪澗作背景；大禹在正面山腰上親自勞作。追隨他的民眾，有人用錘打，有人用鎬刨，有人用槓桿捶擊，鑿石開山，使水就下。這幅生動活潑表現大禹治水偉大的勞動圖景，是按着玉材天然形勢，給予艱巨的藝術加工而造成的，堪稱希世珍寶。

玉山背面刻有乾隆五十三年（1788年）正月《題密勒塔山玉大禹治水圖》御製詩。大意是歌頌大禹治水，四年之間走遍全國，開山鑿石，疏通江河，使洪水就軌不致為災，大禹的功德是萬古不朽的。這樣一塊像山峯似的大玉材，如果製造尊罍一類的器物，那就大材小用了。宮中所藏《宋人畫大禹治水圖軸》，是一幅名畫。把它體現在大玉山上，那將是永遠不會損壞的紀念物。也只有"功德垂萬古"的聖跡刻在這樣大玉上纔相稱。現在玉山已製成，自從採玉開始，十年之久，耗費許多人力物力。又告誡子孫，如果僅僅為了追求珍玩，今後絕不允許再做這樣的事。從詩中也知道製造玉山的本末和目的。據前人記述，從新疆運大玉到北京需要製作軸長三丈五尺的特大專車。車上有銅把，前用一百多匹馬拉車，後用千名夫役扶把推運。逢山開路，遇水架橋，冬季則潑水結冰路面拽運，日行五至六里。據此計算自和闐至北京一萬一千一百里，需時三年纔能運到。玉料運到北京以後，乾隆皇帝選用《石渠寶笈》著錄的《宋人畫大禹治水圖軸》為稿本，將原圖發交內務府大臣舒文，著賈銓照圖式樣在玉上臨畫。乾隆四十六年（1781年）二月二十七日，撥得玉山蠟樣及畫得正背左右畫樣四張。同年五月初七日，乾隆批准蠟樣和畫樣，由運河把大玉載往揚州，交兩淮鹽政圖明阿選玉匠照樣製造。後來因恐蠟樣日久溶化，又照樣刻成木樣。自乾隆四十六年九月在揚州開工，到乾隆五十二年（1787年）六月完成，歷時七年零八個月。同年玉山由運河運到北京。九月間安設在寧壽宮樂壽堂。乾隆五十三年正月二十五日，命造辦處如意館的刻玉匠把御題詩刻在玉山的背面。

"大禹治水圖玉山"，所用的工時和造價，已無精確的資料可據。但根據另一件玉山，"秋山行旅圖"的製造資料可以推斷大約的數字。"大禹治水圖玉山"，約大於"秋山行旅圖玉山"四倍。根據"秋山行旅圖玉山"的工時和造價，估計"大禹治水圖玉山"從打坯到製造完成，不包括刻字工時，不包括在山上開採玉料，不包括從新疆運到北京、從北京運到揚州、再運回北京，一系列的運費都不計算在內，只計製造，大約工程量為十五萬個工作日，需白銀一萬五千餘兩。按當時物價，可折合大米一萬六七千擔（一擔約合六十公斤）。如果開採運輸的工時和銀兩加在一起，將若干倍於此數。"大禹治水圖玉山"的製成，在玉器工藝美術史上是一次偉大的創舉，顯示了中國各族人民的才能智慧。

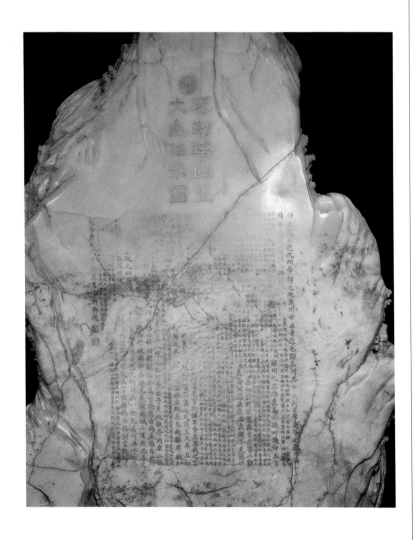

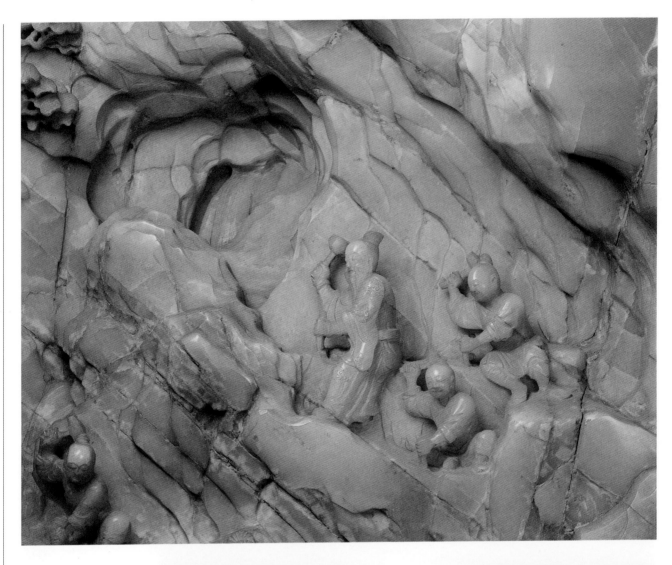

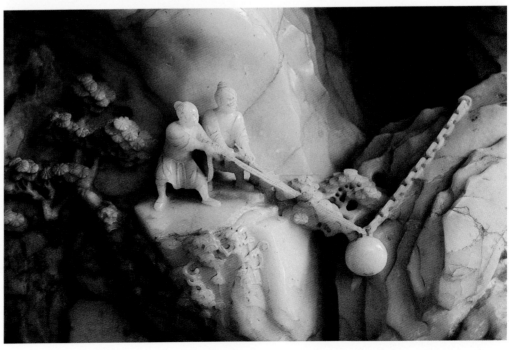

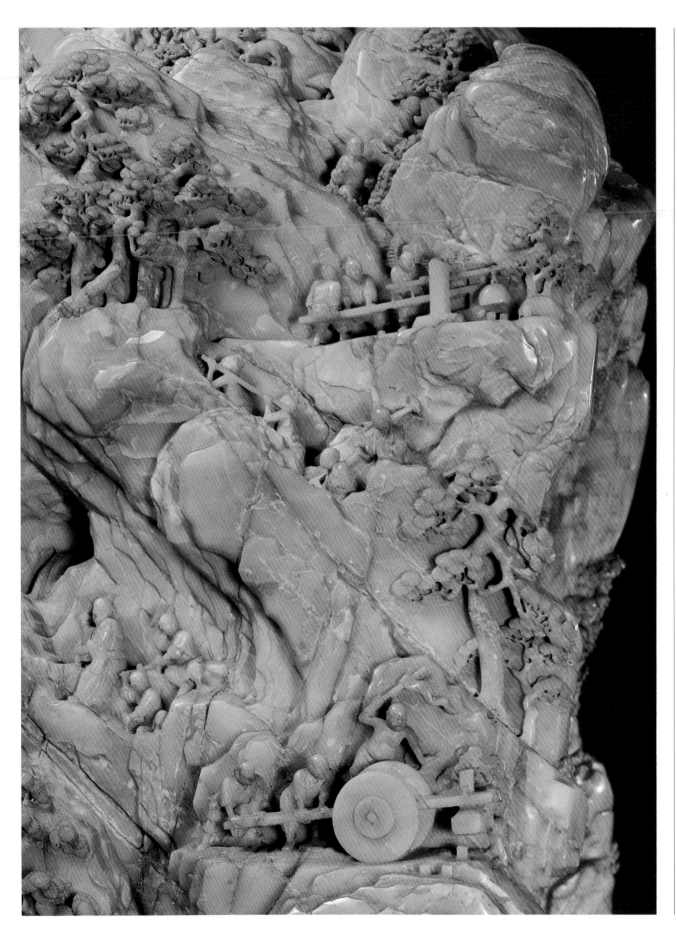

85. 白玉桐陰仕女圖　86. 翠竹盆景

白玉桐陰仕女圖

清（1644－1911 A.D.）

高15.5厘米

長25厘米

寬10.8厘米

　　"白玉桐陰仕女圖"，是用一塊玉子，就其天然
形體琢成的。底有乾隆御製詩一首，並序。序中叙述，
這是一塊做玉碗取坯後剩下的廢材，取其玉質溫潤，
在造辦處當差的蘇州玉匠利用廢材，精心設計製造的
一個玉山子。在中間琢成一個洞門，四扇屏門，中間
半掩，門外一人拈花，門內一人捧盒，內外相望。用
玉子表面橘色的皮部做桐、蕉、山石。用潔白部分做
石桌、石櫈。是一件巧作的精品。

　　清代養心殿造辦處的"玉作"、"雜活作"、"牙
作"、"纍絲作"、"鋄（音減）金作"合製的盆景，
有許多從設計、選料、製造上說，都堪稱是上乘的精
品。這些盆景是雍正年（1723年）以來，造辦處特有
的。造辦處主要的總設計人是從內務府員外郎出身
後來做到內大臣的海望。當然每個製作環節還有許多
設計者，同時也是作者。造辦處所製盆景或瓶花，章
法是畫意的經營，色調是顯示其選料的質美。譬如造
一棵鳳仙花盆景，用牛角做梗，把充滿水分、半透明
的露出纖絲筋脈的鳳仙花梗特點表現無遺。製造盆景
的名手是在造辦處當差的蘇州能人施天章。

　　這件盆景，主要是"玉作"和"纍絲作"合製。由
"纍絲作"製銅鏨花鍍金盆，"玉作"製翠竹。景的
內容是一叢經過砍伐的老竹，從根部又生出嫩葉。粗
壯的竹根，充分表現翡翠的質美。章法疏朗有致。配
上銅鍍金盆，上下金碧相映，是一件鮮明而又脫俗的
案頭清供。

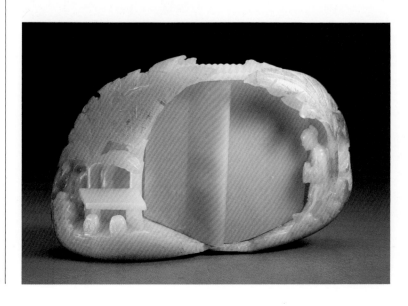

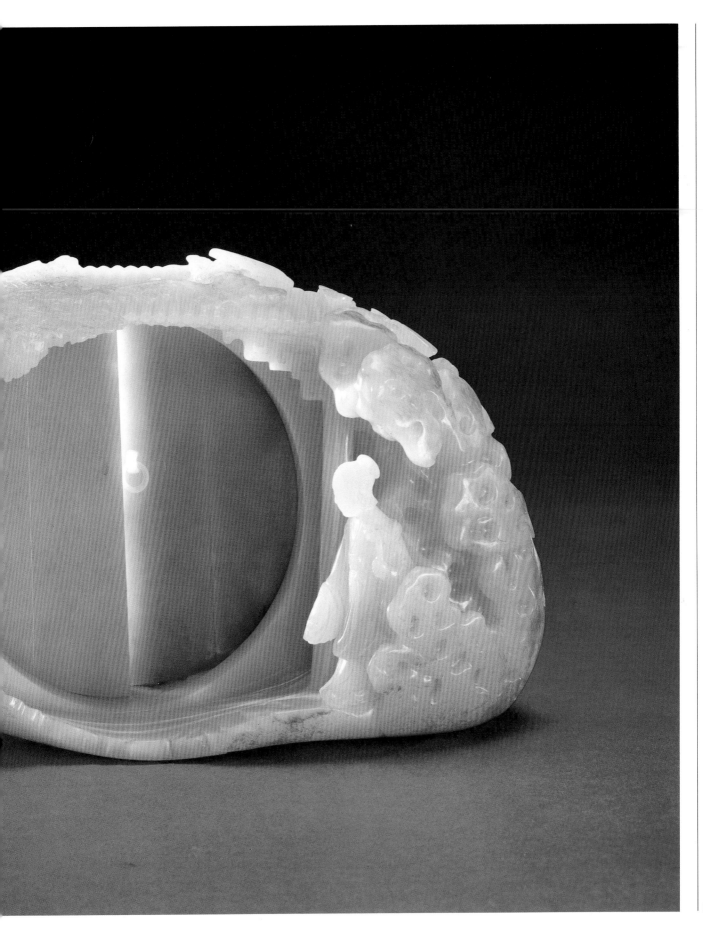

翠竹盆景

清（1644－1911 A. D.）

通高25厘米

盆高 6 厘米

足距 3 × 4 厘米

87.碧玉仿古觥

清·乾隆(1736－1795A.D.)
高18.7厘米
口寬7.4厘米
足距7.7×4.2厘米

清代養心殿造辦處"玉作"製造的範圍，以玉為主，同時包括一切需要砣工製造的物料，如瑪瑙、碧璽、翡翠等；天然的礦物和經過燒煉的各色玻璃料，都包括在內。當時的許多城市也有玉匠，如蘇州、揚州和回部地區均是高手集中地。所製造的玉器成為流通市場的高級商品。因商業競爭以致爭奇鬥勝。由於鹽商競出高價購買，乾隆時期揚州市場上曾出現大量玲瓏剔透的玉器。當時的鹽政和織造把這種玉器作貢品，遭到乾隆皇帝的申斥。乾隆五十九年（1794年）八月十四日，曾有一道諭旨給揚州鹽政和蘇州織造，大意是說此後務須嚴行禁止不准再鏤雕這類玉器。因為凡是容器，鏤空之後沒什麼用處，即使不是容器，通體玲瓏則玉質的美完全消失了。甚至回部地區也效尤相習成風，致使完整玉料都成廢器。

這道諭旨很切中當時玉器製造的時病。這裏所介紹的碧玉觥（音公）是養心殿造辦處造的所謂杜奇歸樸的器物，是屬於糾正時病的器物。碧玉觥是仿古銅器的饕餮紋觥，玉質的墨綠色很自然的呈現着青銅銹斑的色澤，是造辦處的精品。當時造辦處的工藝者，都是命各地方選送的高手，待遇優厚，在製造時又有素養很高的專家設計。所以造辦處製造的器物都是工精質良，在工藝美術史上佔很重要的地位。

88. 銅胎畫琺瑯花鳥瓶

清·乾隆(1736－1795A.D.)

高21.8厘米

口徑3.5厘米

腹徑13.3厘米

足徑7.9厘米

銅胎畫琺瑯，這一工藝美術品種，在清代康熙、雍正、乾隆三朝空前的發展提高。雍正年間，養心殿造辦處，從原來採用西洋料發展爲自己燒煉琺瑯料九種，是當時西洋料所沒有的顏色品種。後來又新增九種，連同原有的西洋料十八種，共有三十六種顏色的琺瑯料。

當時銅胎畫琺瑯器的製造地點，有廣東、揚州和北京。北京在當時還沒有民間的作坊（康熙到乾隆時期），只是養心殿造辦處有"琺瑯作"。這個"琺瑯作"內的人員，除從廣東、江南挑選優秀工匠以外，還有江西燒造瓷器處送來的工匠，另外還有畫院處的畫家。所以這個品種在康、雍、乾三朝呈現着非常繁榮的景象。

康熙款的釉質，細膩溫潤而不以光亮取勝。有白釉地繪疏朗的工筆花鳥小瓶；有黃釉地圖案化的花卉盤、盆、花籃等等；還有一道釉的器物。雍正時期除原有的瓶、罐、盤、碗等等之外，新的品種有冠架、鼻烟壺等等；新的花色有黑地、百花和皮球花等等。到乾隆時期，製造範圍擴大，宮內陳設裝飾和使用器物大至屏風，小至烟壺無所不備，裝飾性非常強。又吸取了瓷器、漆器、織繡、銅器的圖案組織而出現許多新內容。釉色和花紋繼承以往的優點以外，盛行錦地開光人物、山水、花卉等等，並有胭脂水或青花的山水，描繪生動精細，其錦地在一個器物上常有幾套幾層不同組織的花紋。釉色有無光而細膩如凝脂的，有含玻璃質感的。這件花瓶，就是屬於玻璃質感的，瓶面上有一層堅脆的清光，籠罩着絢麗的花卉。造型穩重，是大型銅胎畫琺瑯瓶類中的珍品。

89.百寶嵌花果紫檀盒　90.百寶嵌花卉漆掛屏

百寶嵌花果紫檀盒
清·乾隆 (1736－1795 A.D.)
高 6 厘米
口徑 22×27.5厘米

百寶嵌，這種工藝由來已久。據文獻記載，漢朝已有之。如這裏刊載的兩件百寶嵌的做法則始於明朝。其法以金、銀、寶石、珍珠、珊瑚、碧玉、翡翠、水晶、瑪瑙、玳瑁、車渠、青金石、綠松石、螺鈿、象牙、蜜蠟、沉香等物作原料，雕成山水、人物、樹木、樓臺、花卉、翎毛，嵌在漆、紫檀或花梨等器物上。大而屏風、卓椅、窗櫺、書架，小則筆床、茶具、硯匣、書箱都有這種做法。這種做法始於明嘉靖時的周柱。周柱一說名叫周翥。人們稱這種做法爲"周製"，等於說"周製"和"百寶嵌"兩個語彙是一個含意。乾隆時以王國琛、盧映之的技藝最精。

這裏的"百寶嵌花卉漆掛屏"和"紫檀木百寶嵌花果盒"都是乾隆時代的百寶嵌精品。百寶嵌的嵌物，有微凸如浮雕的，有表面齊平不見起伏的。這一對掛屏和紫檀盒的做法都屬於前者。掛屏一對，象牙嵌花包鑲邊框，本幅天藍色漆板，所嵌花卉一爲白梅，一爲紅梅。樹的枝幹都是鸂鶒木嵌，取其木紋是天然絞絲狀，酷似樹皮，白玉做白梅，紅碧硐做紅梅。白梅樹下有紅瑪瑙做的山茶花，碧玉做葉。紅梅樹下有碧玉做的蘭葉，青玉做的蘭花，紅寶石做蕊。孔雀石做地，墨玉做石，其中以碧硐的經濟價值最高，每一方寸當時即以千兩銀計值。從章法來看，完全是兩幅花卉的畫。製造本來也是根據畫稿，但效果却和繪畫作用不同。從室內裝飾角度來看，如果室內是華麗濃艷的陳設，則牆上掛紙絹繪畫就顯得薄弱；不如百寶嵌的畫面，再加象牙嵌化邊框的掛屏，才和其他陳設協調一致。

"百寶嵌花果紫檀盒"，長方圓角式，金星紫檀木。盒面上嵌藕、蓮蓬、茨菇、白菊、黃菊、芙蓉、蘭花等等花果一簇。稿本當然仍是繪畫，但效果也不同於繪畫。從藕的選料也說明製作手法的高妙。藕身用白玉，但露孔處的剖面用螺鈿，雖然同是白色，而螺鈿的亮度和白玉不同，這就顯出藕身有皮色，剖面則白亮有水意。再有同是綠色，蓮蓬用碧玉，而菊葉用孔雀石，又出現不同的效果。蘭花用青玉，紅果用紅瑪瑙，各有其質美。是百寶嵌中的珍品。

織綉

中國是絲綢的發源地。距今五千多年的原始時期，就開始利用蠶絲。考古工作者先後在山西、河北、河南、遼寧、江蘇、浙江餘姚等新石器時代遺址，發現過蠶繭、陶蠶蛹、石蠶蛹、黑陶蠶紋裝飾、骨器蠶紋裝飾等史蹟。一九五八年在浙江吳興錢山漾新石器時代遺址發現了經緯密度每厘米達48根的絲絹，這都表明了中國絲綢歷史源遠流長。

瑞典遠東古物博物館保存的從河南安陽出土帶有回紋綺痕迹的商代銅鉞和故宮博物院保存的帶有雷紋綺殘痕的商代青玉戈，更可證明商代已經揭開絲綢織花的序幕。到了周代，朝廷已對絲綢手工業設立專官和專業作坊進行管理和生產，當時織錦和刺繡已經具有較高的工藝水平。公元前七七〇至公元前二二一年的春秋戰國時期，中國兗、青、徐、揚、荊、豫等州都有絲綢的特產。絲綢的品種已有帛、縵、綈、素、縞、紈、紗、縠、綢、纂、組、綺、繡、羅等等。高級的絲綢已成爲諸侯朝見天子以及諸侯間互聘、會盟必用的禮品。在湖南長沙烈士公園、左家塘、河南信陽長臺關和湖北荊州八嶺山等地戰國楚墓出土的錦繡，有的被貼裱在棺木上作裝飾，有的用來做被褥衣服，有的成匹地用來殉葬。荊州八嶺山出土的戰國織錦，織法精細，配色清雅，錦面龍鳳圖案穿插重疊，非常美麗。長沙左家塘出土的戰國織錦，花紋格式多變，工藝上已採用牽彩條及增牽特殊掛經等各種方法。長沙烈士公園和荊州八嶺山出土的戰國刺繡的圖案，龍游鳳舞，猛虎瑞獸，活躍於穿枝花草之中。這些圖案的形式及題材內容，還與六十年代在蘇聯巴澤雷克公元前五世紀時期游牧民族部落貴族墓中出土的中國絲綢地鳳鳥穿花紋刺繡鞍褥面紋樣近似。中國絲綢在先秦時期，已由秦國運往北方，與北方游牧民族交換戰馬。通過巴澤雷克出土的中國絲綢刺繡，更足以說明中國絲綢刺繡，在公元前五世紀時已經通過北方草原運銷到歐洲地區。

公元前一三八年，張騫出使西域，開通了從中國通往西域的南北兩條大路。中國的絲綢就源源不斷的運到歐洲，爲東西方物質文化的交流作出了巨大的貢獻。從此中國就被譽稱爲"絲綢之國"。由中國西北通往西域的道路，也被歷史學家稱爲"絲綢之路"。

漢、唐以來，中國的絲綢品種不斷豐富，工藝技巧不斷提高。例如漢代的起絨錦，在織物表面織有由經綫織出來的絨圈形浮雕狀的花紋。漢代的經錦，以多組彩色經絲起花，能織出構圖十分複雜，色彩莊重富麗，帶有吉祥含意銘文的山脈、雲氣、動物圖案。唐代創造了緯絲起斜紋花的綾、錦、雙面平紋錦、印經綢、夾纈、蠟纈、紅綾毯及緙絲等新品種。紋樣構圖宏偉，形象豐滿，色彩鮮麗。

宋代織錦，將花紋組織與地紋組織分開，並開始運用小梭管挖織局部彩花的新技術，使得錦緞紋地清晰，花紋色彩更加富麗。當時還創造了具有寫生風格花式的"宋錦"。例如：如意牡丹紋錦、宜男百花紋錦、穿花鳳紋錦、百花攢龍紋錦、大百花孔雀紋錦、天下樂錦等，都是形象寫實、生動的宋錦典型紋樣。宋代織錦圖案向來以典雅優美而稱著，寫生風格的圖案，多爲後代織錦所仿效。明、清時期蘇州所織著名的"宋式錦"，就是在這個傳統的基礎上發展起來的。宋代的刺繡和緙絲技藝已發展到能夠仿製畫院工筆繪畫，並足以亂眞的高超水平，而且比畫更有質感和光澤。史稱宋繡針路多變，用線細於髮絲。宋代緙絲則出現了像朱克柔、沈子蕃、吳煦等著名藝人。元代是金銀線織物高度發展的時期。元代統治者最喜歡的"納石失"，就是文質富麗的織金錦。明、清兩代在江南三織造所在地區南京、蘇州、杭州生產的高級絲綢如各種織金錦、妝花錦、織金妝花錦、重錦、宋式錦、匣錦、閃緞、織金緞、暗花緞、兩色緞、妝花緞、加金妝花緞、遍地金妝花緞、孔雀羽織金妝花緞等等，花色品種更是多不勝數。

緞是宋、元時期新出現的品種。明、清時期在緞組織地上提花的技術有高度發展。明代生產多爲五枚緞。明末新創，到清乾隆時期大量生產的入絲緞，緞面瑩潔光亮，質地柔軟，美觀實用。在此基礎上再以數種甚至數十種不同顏色的小管梭，用"挖花"技術織出絢麗多彩的花紋，這種織物就是妝花緞。並可按服裝款式、床椅鋪墊、或幔帳等成品的形式規格，生產"織成"料。有的更在原料中加入片金、片銀、捻金線、捻銀線、孔雀羽線等，使織品更加高貴豪華。

明、清時期的緙絲、常常製織複雜的巨幅作品。織工細巧，餞色技法也有更多的變化。爲了藝術效果更加逼眞，有時也在某些主體花紋上加綉，或局部用彩筆加繪。刺綉自明代以來，在一些大城市出現了商品性生產的綉畫。崇禎（公元1628—1644年）時上海露香園韓希孟摹綉名人書畫，以精巧著名，稱爲"顧綉"。和顧綉特點成對比的山東"魯綉"（俗稱衣線綉），常在暗花綾緞上用雙股捻合的花線綉花，有厚重樸實的感覺。北方還流行用衣線在紗地上滿地納綉的"洒綫綉"和用釘綫法綉花的"緝綫綉"及用捻金捻銀線盤釘綉花的"平金綉"。這三種綉法在北京定陵出土的文物中有大量發現。

清代大部分宮廷御用和上用的刺綉品，均由宮廷如意館畫工繪製花樣，發送江南三織造管轄的織綉作坊照樣綉製，無不工整精美。同時在民間先後出現了以商品生產爲目的的地方綉。最著名的地方綉，有以北京爲中心的"京綉"，和以蘇州、成都、廣州、長沙爲中心的"蘇綉"、"蜀綉"、"粵綉"、"湘綉"，它們各具地方藝術的特色。後來蘇、蜀、粵、湘四種地方綉，稱爲"四大名綉"。

京綉，圖案結構嚴謹，裝飾華麗。綉種多樣，包括戳紗綉、鋪絨綉、釘線綉、網綉、平金綉、堆綉、穿珠綉，十字挑花等等。

蘇綉，繼承和發揚了宋代綉畫的傳統，講究以針代筆，突出針法效果。綉工細密不露針迹，絲理圓轉自如，綉面平服。配色採用同類色或含灰對比的退暈方法，色彩沉靜雅潔。並發展了一次綉作過程中完成雙面圖案的"雙面綉"的技藝，而且針法、色彩都相同。

蜀綉，是在當地的民間綉的技藝基礎上吸收明代顧綉藝術的長處，而發展成爲著名的商品綉產區。綉品以厚重工整，色彩鮮麗，又有針工的裝飾見稱。

粵綉，又稱廣綉。構圖豐滿，形象逼眞。施針簡快，針線重迭隆起。配色鮮麗明朗，光澤眩目，並常用孔雀羽線，捻金線配合綉花。生動活潑。

湘綉，擘絲細，所擘之絲，用莢仁溶液蒸後裹竹紙揩拭，以防絲絨起毛，故光細勝於髮絲。這種綉品，當時稱爲"羊毛細綉"。湘綉設色素淨，要求適合物像本色。針法吸取蘇綉的特點，渲染陰陽濃淡，暈色如畫。

中國織綉源遠流長，閃爍着東方文化藝術的光芒。故宮博物院收藏的傳統織綉珍品非常豐富，收入本畫册的這十件織綉，是包括了織綉工藝各門類中的極精品，有的還是舉世無雙的藝術珍寶。

91. 毬路雙鳥紋錦裌袍

北宋（960－1127 A.D.）
彩織
身長138厘米
通袖長194厘米
袖口寬15厘米
下擺大81厘米

錦是中國著名的高級絲織傳統品種。它的歷史可追溯到西周時期（公元前十一至八世紀）。據考古發現，從西周到唐朝以前的錦，都是用經絲顯出花紋的，稱爲“經錦”；唐代初年始見有由緯絲顯現花紋的“緯錦”。以後緯錦就逐漸取代經錦。

這件用緯錦製作的裌袍，是在古代“絲綢之路”途經的新疆維吾爾自治區阿拉爾木乃伊墓出土的。錦袍爲半掩襟，交領，窄袖；後身開禊，高於臀部。全袍以毬路雙鳥紋錦作面料，用素綢作裏，灕鶒團花錦鑲領邊，袖口鑲接一段雙雀欄杆錦袖頭。領、袖、襟

的外緣，鑲着羊皮“出風”，出土時羊皮已殘留無幾。

所用錦地面料毬路雙鳥紋錦，經絲爲黃色，緯絲有淡黃、黑、黃綠、白四色。由緯絲顯花，基本組織是三枚緯面斜紋。花紋的骨格是圓形的交切與重叠。這種格式是宋代絲綢圖案中流行的式樣，稱作毬路紋。在毬路紋的圓圈中，填充背向對稱的雙鳥。鳥的姿態舉翅昂首，似在奮翼起飛，背靠直立的花樹。圓圈的周邊，飾以幾何連錢紋和古波斯式的連珠紋。在圓圈的交切處和空隙部位裝飾的連珠四葉和四鳥紋團花，也都帶有波斯風格的影響，融合了中西方的裝飾特色。袍領用的灕鶒團花錦花紋，灕鶒在圓形中間迴旋穿花飛翔，團花外圍以四面對稱組合的花葉佈地，是中國唐、宋間流行的圖案格式。兩袖口縫接的雙雀欄杆花紋錦，也是唐以來工藝裝飾花紋中常見的式樣。

這件錦裌袍出土時穿在一個身高1.9米,頭部蒙着白綢的男性木乃伊身上。死者是維吾爾哥薩克族的一名武將。從袍長和木乃伊身長的比例看，裌袍比木乃伊身長短62厘米，與唐以來“胡人俑”服制比例相合。在唐閻立本《步輦圖》所繪西域來使身上，可以看見和這件裌袍式樣及圖案格式十分近似的服裝圖像。

中國古代生產銷往西方的絲綢，常常選取符合西域人習慣穿用的花紋。例如新疆吐魯番阿斯坦那出土的北朝時期的“胡王錦”，在連珠紋中織着胡王牽駱駝；唐代有在連珠紋中織着兩個胡人圍着酒壺飲酒的“醉佛林錦”，都能說明這個情況。通過經濟的交往，西方藝術，也給中國的民族藝術帶來了影響。這件毬路雙鳥紋錦裌袍，正是中西經濟文化交流的象徵。宋代的織錦衣物留存至今的很稀少，這件錦袍能夠保存得這樣完好，對研究宋代織錦技術、裝飾花紋和兄弟民族的服裝樣式提供了珍貴的實物資料。

233

92.青碧山水圖軸

南宋（1127－1279A.D.）

沈子蕃織欵

緙絲

高88.5厘米

寬37厘米

緙絲是著名的絲織藝術品。宋以來的著錄中，也有寫成"克絲"、"尅絲"、"刻絲"的，其含意相同。緙絲從質地分析，既不同於織錦，也不同於刺繡。刺繡是在某一顏色的絲織品上，用繡花針穿引花綫，繡出高於絲織品表面的花紋。緙絲的花紋與底紋完全平齊。緙絲雖然和織錦都是經緯交織出花紋，但織錦用複雜的變化組織來織花，織物表面花紋清楚，反面有浮緯掩蓋，花紋雜亂不清，織物厚實。緙絲用單層平紋組織織花，織物正反兩面組織相同，花紋、顏色也完全相同，花紋邊界有刻裂現象，織物勻薄。

織錦和緙絲無論花紋、題材和形式設計都有不同的要求。織錦多實用品，花紋佈局，一般是以一個花紋單位向四方連續擴展。也有一些是按成品的形狀和裁剪方法分佈花紋，連接成一匹匹料的。織造時，預先由專門編織"花本"的"挑花匠"按設計花樣編成"花本"。將"花本"裝到織機的"提花樓子"上，由"挽花匠"坐在樓子上按順序拉動經綫，再由"織匠"配合着投梭織緯，就能自動織出花紋。而緙絲不用"花本"，主要由織工照着畫稿在很簡單的織具上從心所欲地用雙手緙織成花紋。無論尺寸的大小，顏色的繁複，書法、繪畫、掛屏、圍屏、服裝、鋪墊、椅帔、宮扇、荷包等各類型的東西都可以緙織。

緙絲所用的是普通輕便的平紋木機。緙織時，先在織機上裝上經綫，穿好平紋綜片和竹筘；再在經綫下面挾上圖樣，織工透過經綫可以看清圖樣中的花形和顏色，用毛筆將花紋輪廓描到經綫上，按花紋輪廓，以各色彩絲小梭子分塊逐步緙織成表面平織的花紋。

這種工藝，不像普通織物可以用大梭通幅到頭的織造，而是要按花紋輪廓和顏色交接的邊界不斷換梭，所以非具有高度熟練的技巧和藝術造詣的織工不能勝任。由於緙絲不用通梭，人們都稱這種織法為"通經斷緯"。日本則稱作"綴織"。通經斷緯形成花紋邊界的刻縷效果，使緙絲的織紋如填彩，顯現出特殊的裝飾趣味。

通經斷緯的織法，在新疆出土漢及南北朝時的毛織品中已出現。唐代的通經斷緯織法的絲織品，即為緙絲。北宋時北方貴族婦女已用緙絲製衣服和被面。

沈子蕃緙絲《青碧山水圖》軸採用了"滲和戧"、"長短戧"、"構緙"、"平緙"、"子母經"等方法。"滲和戧"是表現色彩由深到淺過渡的一種方法，其特點是深淺兩色的交替不絕對平均，並且是在色彩由上向下或由下向上縱向變化其深淺時使用。本幅山紋就是用"滲和戧"法緙成的。"長短戧"是利用織梭伸展的長短變化，使深淺兩種緯綫互相穿插，在兩色相互穿插的地方顯出暈色的效果。本幅"長短戧"緙法也見於山紋。"構緙"是在紋樣邊緣以另一顏色的絲綫構緙出勾邊綫，使花紋界劃清楚。本幅所有的輪廓勾邊綫都是用"構緙法"織出的。"平緙"用於所有的平塗色塊。"子母經"用於緙織文字和圖章。此外，在山、雲、水等處局部還以淡彩渲染，使景物陰陽遠近，層次分明。這件緙絲運梭如運筆，不失分毫，綫條勾勒有力，設色明麗天成。它再現了江南大自然空靈開曠的情趣，又具有筆墨山水畫所不能具有的工藝質感之美。是沈氏緙絲山水畫的代表作之一，是珍貴的文物。

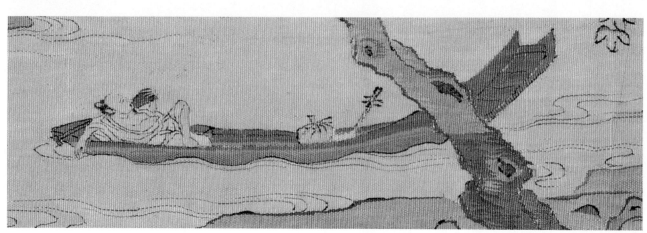

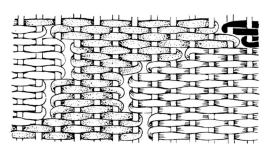

緙絲組織繪製圖

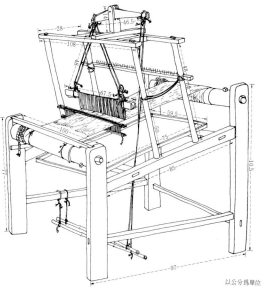

以公分為單位

緙絲織機繪製圖

93.東方朔偷桃圖軸

元代（1271－1368A.D.）

緙絲

青地五彩織成

高58.5厘米

寬33.5厘米

緙絲《東方朔偷桃圖》軸，是一件以宋代繪畫為稿本的精品。畫面內容是西漢武帝時，以詼諧滑稽聞名的文人東方朔，得道成仙之後在天上碰到西王母設蟠桃盛會，就大胆進去偷吃了蟠桃，被仙吏擒獲，請西王母發落。因他申辯語言滑稽，逗得西王母開心。後來西王母賜他瓊漿玉液，痛飲而歸的神話故事。因這個故事非常有趣，富戲劇性，又有吉慶長壽的含意，人們一直樂於用之作美術品和工藝美術品的題材。

這件緙絲圖軸，畫面上緙織着從彩雲中露出來的結滿仙桃的桃枝，彩雲把天宮的地點環境巧妙的表現出來。畫面下緙織着靈芝、水仙、竹子和壽石，隱寓"靈仙祝壽"的吉祥語。畫面正中緙織着手捧仙桃，一邊奔走，一邊回頭偷看的東方朔，把"偷"的心理狀態活生生地刻劃出來。

這件緙絲的畫面設計，採用填色、勾線、二色互相參差換彩等方法，發揮了緙絲工藝製作的特點。色彩配置鮮明而素靜。在淺米色地上，以石青、寶藍、淺藍、月白為主色，稍配水粉、瓦灰，十分和諧。在近景靈芝草的莖部，採用石青、駝色相捻合的"合色線"，也是一種新的創舉。敷色方法，完全採用塊面平塗。在山石、衣服袖子及人物鬚鬢處，二色相遇時，則用緙絲工藝特有的戧色過渡（即用不同色的小梭子交錯使用，使色彩自然過渡）。主要用"長短戧"的調色方法，使深色緯與淺色緯相互穿插，出現"空間調合"的暈色效果。再在花紋邊緣，以石青色的絲線構緙出勾邊線。這起着調和色階，又使花紋界劃清楚的作用。這種緙法使整幅畫面，具有很強的質感和鮮明的裝飾效果。

元代流傳下來的織綉文物為數不多。以人物故事為主題的緙絲圖軸為數更少。《東方朔偷桃圖》軸，是故宮博物院收藏的元代緙絲品中工藝水平最高的一件珍貴文物。《秘殿珠林》有著錄。本幅上鈐"乾隆御覽之寶"、"乾隆鑒賞"、"秘殿珠林"、"三希堂精鑒璽"、"宜子孫"諸璽。

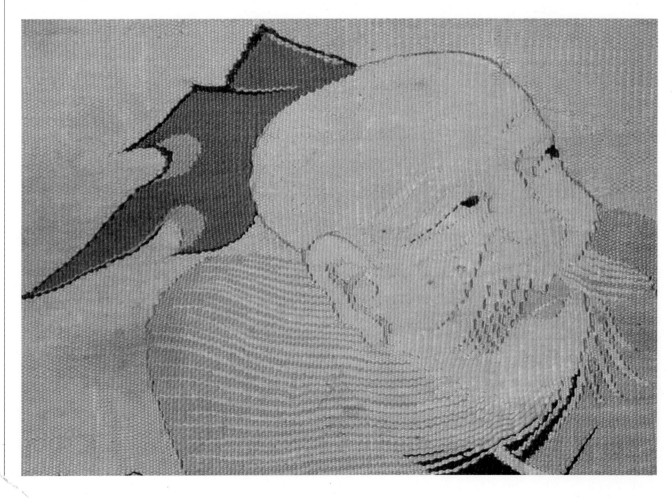

94. 芙蓉鴛鴦圖軸

明（1368－1644A.D.）
淺玉色暗花緞地
五彩雙股合捻的衣綫綉花
高140厘米
寬51厘米

這是一幅以芙蓉鴛鴦爲主題的觀賞性刺綉立軸。產於中國刺綉的傳統產地山東。山東古屬魯國，在公元前五世紀，這一帶地方桑麻遍地，已經是著名的絲綢產地。當地的婦女，心靈手巧，普遍會刺綉精美的花紋。後來山東地區的刺綉就叫做"魯綉"。元、明時期，魯綉使用的綉綫是用雙股絲合捻起來的絲綫，這種綫叫"衣綫"。用"衣綫"綉成的作品，也有人叫它爲"衣綫綉"。"魯綉"常以暗花綢、緞作爲刺綉底料，用綫粗，針脚長，絲理疏朗，堅固耐用，具有蒼勁有力，爽朗豪放的獨特風格。

這件含意吉祥的綉品，多在祝賀婚禮時張掛或作爲禮品贈送。鴛鴦是雌雄偶居不離的匹鳥。芙蓉古代被當作貞潔的象徵。把芙蓉和鴛鴦綉在一起，寓意愛情的堅貞和高潔。

《芙蓉鴛鴦圖》軸的構圖，鴛鴦鳥在畫面正中偏下的位置親懇地浮游。上半部滿佈五枝芙蓉花。鴛鴦和芙蓉佔有綉面的主要地位，突出了主題。綉軸在左側及下方填補蘆葦、紅蓼、秋海棠、山石、荷花、小草等，點綴出秋天的意境。綉面上沒有大面積的堆鋪，這能使綉品節用工料，而綉面則疏朗舒展，活潑豐滿。

這幅綉軸用淺玉色折枝牡丹、月季暗花緞爲底料，以較粗的雙股合捻的衣綫綉花，花紋蒼勁有力，富於立體感。加以採用藍綠、灰綠、灰藍、暗紅、月白等濃鬱沉着的色綫，使綉面氣質渾厚，與江南閨閣綉用細絲淡彩的風格恰恰形成鮮明的對照。這是北方及東北地區民間刺綉所具有的樸素健壯的特點。

根據不同的花紋影像施針是這件綉品的成功之處。如用長短參差的"攙和針"綉製芙蓉花、葉、石和鴛鴦；用綫條繞成粒狀小圈的"打子針"綉紅蓼凸起的粟粒狀花；用起針落針都在花紋邊緣、綫條平行排列的"纏針"綉蘆葦及紅蓼葉子；用針綫穿繞成長約3厘米的辮子形綫條的"辮子股針"綉蘆花、小草和葉。這就使針工和絲理呈現出物像的質感，更加使形象眞實生動，突破了繪畫的平面效果，顯現出浮雕狀的立體感，表現了刺綉工藝的裝飾趣味。這件綉品，堪稱傳世衣綫綉中的珍品。

95. 宋元名蹟冊之一——洗馬圖

明・崇禎七年 (1634 A.D.)

韓希孟

顧繡

白綾地

彩繡

高33.4厘米

寬24.5厘米

　　中國刺繡歷史悠久。據文獻記載，最早起源於史前時期的帝舜時代。考古學家也發現了西周（公元前十一至公元前八世紀）時期的刺繡實物。南北朝時期已出現大幅的刺繡佛像。宋代以刺繡摹製名人書畫，把刺繡藝術推進到一個新領域。明代中葉上海顧家的"顧繡"就是繼宋代繡畫的基礎上發展而來的閨閣繡。

　　韓希孟是十七世紀中葉著名的刺繡藝術家。他夫家顧氏以閨閣刺繡而聞名。世以顧氏居所露香園，稱其家刺繡爲"露香園顧繡"，或稱"顧氏露香園繡"，或簡稱"露香園繡"及"顧繡"。"顧繡"自嘉靖年間進士顧名世的長子顧滙海之妻繆氏開端，至名世次孫媳韓希孟時繡品最爲珍貴著名，被稱爲"韓媛繡"。在這之前顧家繡品多爲家藏玩賞或餽贈親友之用。自名世死後顧氏家道中落，生活倚賴女眷的刺繡維持，於是顧繡從家庭女紅向商品繡過渡。由於顧繡的聞名，行銷暢通，清代晚期蘇、滬等地經銷刺繡的商店多以"顧繡"或"顧繡莊"冠其牌名。把當時蘇繡和顧繡混爲一談，甚至把蘇繡稱爲顧繡。實際這兩種繡類各有不同的藝術特點。

　　韓希孟繡的《宋元名蹟册》，是傳世顧繡中的代表作。繡畫册上有董其昌題贊，其夫顧壽潛的題跋。畫册共八幅，《洗馬圖》是第一幅。

　　這幅繡《洗馬圖》，是以細於髮的擘絲，纖甚於毫的繡針，根據畫面不同的景物，選用多種色絲，採用長短綫條參差排列、針針相嵌、整齊平鋪的"攙和針"爲主的多種針法，一絲不苟地繡出了原作的筆墨情趣，從而豐富了物像的質感。在局部山坡上，韓希孟還巧妙地施加了淡彩暈染，以畫補繡，使更具神韻。顧繡轉爲商品後，這種以染補繡的方法就成爲顧繡的特點之一，故有人也稱顧繡爲"畫繡"。但繪畫畢竟是以筆墨在絹紙上揮筆，而刺繡則運用絲線的色彩，針法的疏密、輕重、逆順，以絲理的走向和絲綫的排列來表現物像的質感。既能把筆墨之趣摹繡得與畫一般，又能顯示出獨特的工藝之巧。

　　顧繡最大的特點就是用綫代筆，以摹眞爲能事。據記載，韓氏之摹臨宋元名蹟，繡作方册，覃精運巧，窮數年之心力經營，在風冥雨晦的時候，不敢從事。只在天晴日霽、鳥悅花芬的時刻，才攝取眼前景色，刺入吳綾。大畫家董其昌對此，讚嘆不已，說非人力所能成。

96.盤條四季花卉宋式錦

明（1368－1644 A.D.）
蘇州生產
長140厘米
寬32厘米

蘇州在明代是江南織造所在地，爲當時著名的絲織生產中心。蘇州生產的宋式錦，以圖案色澤摹仿宋代風格的優美秀麗而聞名。

“盤條”紋是一種大、中型幾何花紋的名稱。在唐代就生產“盤條”花紋的“繚綾”，當時“盤條”紋綾爲珍貴的絲織產品。這件明代“盤條四季花卉宋式錦”，是唐、宋幾何骨架內填以自然形的傳統花式基礎上發展而來的。如圖所示，錦紋以同心圓斜差作爲圖案骨架。同心圓的外圍缺刻成六出形，與相鄰的花紋重疊交切，構成六出形外層的幾何紋裝飾區。區內嵌以連錢、鎖子、龜背、萬字曲水、雙矩、菱格等細小的幾何紋。這些幾何紋都有吉祥的含意，如連錢象徵富裕；鎖子、龜背象徵長命；萬字曲水、雙矩、菱格象徵萬事順利或長命不斷等等。它們都是唐、宋以來一直流行的傳統花紋。在各個同心圓的中心部位，

分別填充梅花、水仙、牡丹花等花紋，這也是宋以來流傳的裝飾模式。把不同季節的花卉與抽象化、理想化的幾何紋組合成一個畫面，這種設計構思，是非常巧妙的。這件宋式錦花紋的造型簡練規整。色彩則在桔黃地子上，配置大紅、墨綠、明黃、石青等色的花紋。色彩處理上採用淡色相間，金綫勾邊的方法，即在花紋的邊緣都鑲上一層淡色，外面再勾上金綫，以緩衝對比關係、統一主調，達到了富麗和諧的效果。

織錦是絲織品中最高級的品種。古時把錦字寫成“綵”字，或“錦”字，都是表示它織作費工，其價如金，故字從絲從金或從帛從金。從公元前八世紀以來，中國的錦就是先把絲精煉，染好色後，再用來上機織造，這種織法現在稱爲“熟織品”，是織造高檔絲織品的工藝方法。古時織錦有以經絲顯現花紋的“經錦”和以緯絲顯現花紋的“緯錦”兩類。“經錦”是早期的品種，一般爲平紋變化組織的織品；“緯錦”始於初唐，一般爲斜紋變化組織的織品。這件宋式錦的組織，是以“三枚緯向斜紋”顯現花紋，以“三枚經向斜紋”織成地紋。經絲分一組專織地紋的“地經”和一組專織花緯的“特經”。地經可用“綜絖”控制提沉運動，特經專由“花本”控制提沉，就能自動織出花紋。這種工藝設計可以提高生產效率，使錦面花紋清晰突出。是明代蘇州絲織技術上的一種進步發展。按花色要求，生產這件宋式錦花紋需配置六把梭子織緯，其中以三把梭織長緯（一般多用來織錦紋的幾何骨架，花卉的枝幹和紋樣的勾邊綫），另外三把梭每織到三至四厘米長的距離之後，就換三把其它色的梭子再織；這樣，實際上是用六把梭子，織出了十六種不同顏色的花紋，而且織物不致過厚。這分段換色的三把梭子，叫作“短跑梭”，用來織錦面上的主體花紋。使用短跑梭分段換色的配色方法，叫做“活色”。這種工藝，在現代化的紡織生產中也一直在繼續保留使用。

“盤條四季花卉宋式錦”，花紋完整，色彩和諧，含意吉祥，織工精巧，質地勻細柔軟；適合做服料、被面、幔帳、墊面等多種用途，是蘇州生產的明代宋式錦中的代表作。

243

97.極樂世界圖軸

清·乾隆(1736－1795A.D.)

五彩織成錦

高448厘米

寬196.5厘米

彩織《極樂世界圖》軸，是一幅根據佛教經變故事畫用彩色絲織成的。內容出自"西方淨土變"。

敦煌莫高窟的唐代壁畫，不少是以"西方淨土變"爲題材的。例如初唐二百二十窟，盛唐一百七十二窟、二百一十七窟，中唐一百一十二窟，晚唐一百五十四窟及榆林千佛洞二十五窟都有"西方淨土變"。彩織《極樂世界圖》以豐富的想像力形象地描繪西方佛國的種種情景。它的構圖與盛唐以來的"西方淨土變"畫一樣，採取佛祖阿彌陀佛爲中心的對稱形。在阿彌陀佛佛像前面稍下的位置，左右各有一菩薩。這一佛兩菩薩，織在畫面中心，顯示畫面的穩定感。圍繞着一佛兩菩薩，還對稱地織有許多菩薩、天王、金剛、羅漢、比丘和伎樂。在祥雲繚繞、宏大莊嚴的宮殿場景中安排了二百七十八個神態不同的人物，並配有寶池、樹石、奇花異鳥。在畫幅下面，畫的是七寶池、八功德水、荷葉和九朵蓮花。

這幅《極樂世界圖》的原稿是清乾隆時期畫家丁觀鵬所作。他擅長畫人物山水，功力深厚，具經營複雜場面構圖的能力。這一幅《極樂世界圖》繼承了唐以來的宗教畫的傳統畫法，把佛教理想中西方佛國的宏偉、莊嚴、繁華、富麗的景象，表現得極爲得體。

彩織《極樂世界圖》軸，從本幅到裝池的上下邊和綬帶部分，均爲通幅貫梭織成。全幅用十九種不同顏色的彩色緯絲同時織製。在石青地上以紅、藍、綠、橙、水紅、香色爲主色，形成靑藍基調上的鮮明對比。在對比色相接的地方，採用淺色相間，墨綫勾邊，三層退暈或四層退暈等方法，外淺內深，逐層過渡，使對比的強度緩和。退暈色一般取同類色的明度變化。例如以木紅、粉紅配水紅；以深藍、月白配玉白；以葵黃、香色配米黃等等。再在人物頭部、建築裝飾等重點部位，用赤金和黃金兩種捻金綫點綴，使主題更加突出。繁華富麗的主體紋樣與深邃幽靜的底色，使世俗的氣息與神移的幻覺交織，既有現實生活的縮影，又有精神上所追求的境界。

製作這樣內容複雜，形象豐富、色彩多變、結構嚴謹的巨幅繪畫性的織成彩錦，工藝技術上的難度是很大的。這件織成彩錦圖軸需要有精通畫理的"挑花"工人挑製"花本"，由"機工"裝配專用織機上的提花裝置，再由"挽花"工人與織工配合製作。織作時又因幅度太寬，不能由織工一人單獨操作，而需幾個工人並排坐着互相傳梭接梭，其技術水平確乎是出類拔萃的。據記載，蘇州在明宣德年間就織造過這類畫軸。彩織《極樂世界圖》軸，從成品特點分析，是清代蘇州織造府管轄下的"高手"和"巧匠"的精心傑作。

《極樂世界圖》軸在清代原藏乾清宮。本幅鈐有"鑒藏寶璽"、"五福五代堂"、"古稀天子寶"、"八徵耄念之寶"等八璽。見《秘殿珠林》續編著錄。現仍藏故宮博物院，舉世僅此一幅。

98．九陽消寒圖軸

清・乾隆（1736－1795A.D.）

五彩緙絲加繡

蘇州製作

高213厘米

寬119厘米

五彩緙絲加繡《九陽消寒圖》軸，是清代宮中新正前後懸掛的裝飾圖軸。按中國曆法，從冬至第二天起算，歷八十一天稱爲“九九”，是一年中的寒冷時節。這幅《九陽消寒圖》軸，用九隻羊隱喩九陽，三個太子隱喩三泰，再以青松、梅花、茶花、月季表示臘盡春回的景象。圖軸裝潢玉池中乾隆御書七言律詩：“九羊意寓九陽乎？因有消寒數九圖；子半迴春心可見，男三開泰義猶符。宋時夘作眞稱巧，蘇匠倣爲了弗殊。謾說今人不如古，以云返樸却慚吾。”

這幅圖軸的底色和襯景是緙絲。主景人物、動物是緙絲上加繡的。圖軸上半幅以深藍色作天空，襯托出五彩祥雲和青松、梅樹、山石。下半幅以淺秋香色作路石表面和水面，襯托出九羊三太子和花樹。上半幅蔚藍的天空和下半幅明朗的地面色彩相映，顯現出春日載陽的意境。運色方法，主要是按塊面平塗、並以由深到淺四個色階層次的四暈過渡等便於緙絲工藝製作的手法。又在花朵部分，用蘇繡傳統的“套針”和“搶針”繡出暈染效果。在幾處樹幹上，採用緙絲加繪或刺繡加繪的辦法，描畫出樹皮的質感。在地面路石的邊界上，用八道彩色的暈條作爲包邊綫，使畫面呈現出富麗的裝飾效果。

這幅圖軸在工藝製作上綜合運用了緙絲、刺繡和局部加繪等手段。大面積的天空、彩雲、地石、水池和一些花葉、小草運用了“平緙”、“勾緙”、“結緙”等緙絲方法。人物、羊、花朵、松針採用了“套針”、“搶針”、“施毛針”、“齊針”、“釘綫”、“釘金”、“網繡”、“紮針”、“打子”、“松針”等多種繡法，其中以套針和搶針爲主。蘇繡的針法很多，其基本原理，都是順着花紋形體的結構，變化用針，使絲理排列的方向、疏密、長短、曲直、聚散等等都用來充分表現物像的眞實感。這是蘇州刺繡的傳統特點。而這件圖軸上的梅樹、茶樹、松樹、樹幹則在緙絲或刺繡的地上以墨筆加染。將三種方法綜合運用，製作大件織繡工藝珍品，是清代織繡工匠的新創。

本幅見《石渠寶笈》三編著錄，原藏寧壽宮。鈐“三希堂精鑒璽”、“宜子孫”、“嘉慶御覽之寶”、“嘉慶鑒賞”、“石渠寶笈三編”諸璽。玉池欵署“辛丑嘉平御題”、鈐“古稀天子之寶”、“猶日孜孜”二璽。

99. 孔雀羽彩綉袍

身長143厘米
肩通袖長216厘米
胸圍134厘米
下擺大124厘米
袖口18厘米

這件袞袍欵式爲圓領、右衽、大襟、馬蹄袖、左右開裾直身袍。以藍色緞作面料，全身以孔雀羽綫、米珠、珊瑚珠、捻金綫、捻銀綫、龍抱柱綫、五彩絨絲等高貴原料綉成花紋。花紋分佈嚴密有序：在前胸和後背及兩肩各綉正龍一；前後襟綉行龍四；底襟綉行龍一，共綉龍九。龍是封建皇族專用的服飾紋樣。對照清代宮廷中帝王冠服格式所規定，此袍應爲“吉服”。九是最大的極數，都是皇族最高地位的象徵。繪龍要畫出“三亭九似”。所謂三亭，即脖亭、尾亭、腰亭，這三個地方要畫得稍細，有曲折變化；所謂九似，即角似鹿、頭似駝、眼似鬼、項似蛇、腹似蜃、鱗似魚、爪似鷹、掌似虎、耳似牛。此外在兩袖頭綉小正龍各一，領袖小正龍二，行龍四。九條大龍是這件袞袍的主要裝飾。圍繞着龍紋的主要裝飾，間以各種吉祥含意的副裝飾紋。如五色彩雲、蝙蝠（寓意洪福齊天）等。八種佛教的法器，輪、螺、傘、蓋、花、罐、魚、腸，通稱八吉祥。八仙人持八件器物，漁鼓、寶劍、花籃、扇、笛、荷花、葫蘆、板。以漁鼓代表張果老，寶劍代表呂洞賓，花籃代表藍采和，扇代表

鍾離權，笛代表韓湘子，荷花代表何仙姑，葫蘆代表李鐵拐，板代表曹國舅，這八樣器物合稱暗八仙。折枝桃、石榴和佛手寓意長壽、多子、多福，合稱三多。折枝竹、靈芝與仙鶴，寓意靈仙祝壽。在前後襟下幅部位，綉有平列式的潮水和直立式的水紋以及壽山紋，寓意壽山福海。中間散織象徵財富的金錠、銀錠、珍珠、犀角、如意、方勝、珊瑚、金錢、合稱八寶。另有折枝荷花、蝙蝠等。這些裝飾花紋中的龍、鶴、蝠都是用米珠、珊瑚珠串聯釘綉全身的，並以狀如串米珠的“龍抱柱綫”綉製龍的腹、鰭、角、口、尾，以捻金綫和捻銀綫綉製龍髯；以各色彩絨綉製其他花紋；再以孔雀翎羽和絲綫捻合而成的孔雀羽綫盤釘所有花紋空隙的地方，形成以翠綠爲主調，五彩繽紛、豪華富麗而具有高貴質感美的色澤效果。這件袞袍，按制度雖是親王穿用的五爪蟒袍，比起皇帝正規服用的十二章九龍紋的“吉服”袍，在技術加工上更爲獨出心裁。

袞袍在工藝技術上繼承了中國傳統刺綉的高度成就。孔雀羽用於織物，出現很早，在南北朝時代已有記載。明代定陵出土萬曆皇帝所穿的龍袍，有幾件也都是用孔雀羽綫織綉龍紋的。清代《紅樓夢》描寫晴雯爲賈寶玉織補孔雀金裘，也是孔雀羽綫製成的衣服。現在這件袍大面積的用孔雀羽鋪地，是孔雀羽工藝上的一種發展，這種工藝，稱爲“鋪翠”。

袞袍所用的串珠綉是在古代製作以珍珠爲飾的衣服、珠履、珠簾等技藝基礎上發展起來的。據記載，南北朝梁武帝時，曾造五色綉裙加朱繩珍珠爲飾。《明宮史》記載萬曆三十二年冬（1596年），宮中曾發生失去一件珍珠袍而造成冤獄事件，都足以說明它的價值貴。

此外，綉製這件袞袍所使用的釘綫、套針、齊針、打子、滾針、釘金銀綫等等針法也是傳統技藝的綜合反映。它用針嚴整平齊，配色潔靜高雅，在運用紅、黃、藍、綠、茄紫五種色相的彩絨時，一方面採用色度比較柔和的顏色，一方面採用由深到淺三暈過渡的方法，再加以金、銀綫勾邊，使色彩效果華麗、典雅，充分表現了蘇綉的藝術特色，稱得起是清代蘇綉袍服中的典型傑作。

100.三羊開泰圖

晚清（1800－1911A.D.）
廣繡
米色緞地
五彩繡
廣東生產
高67厘米
寬52厘米

"三羊開泰"，隱喻吉兆。圖案上，一般都畫太陽、三羊。以太、泰同音，陽、羊同音，寓意"三羊開泰"。這件《三羊開泰圖》上左角繡着太陽，正中繡着三隻羊；再在四周點綴一些飛禽和樹、石、花草、蝴蝶，使畫面嚴謹豐滿，生動活潑。在色彩配置方面，以米色緞作繡底；山石和羊選用沉香、古銅、駝色、淡駝等色為主調，再以石青、藍、湖色、黃綠、灰、白、大紅等色作點綴，達到靜中有動，艷麗多彩的效果。

這件廣繡以"辮子股"、"洒插針"（近似蘇繡的撒和針）、"扭針"（蘇繡稱滾針）、"齊針"、"風車針"（類似蘇繡的松針）、"滲碎針"、"刻鱗針"、"勒針"（蘇繡稱為紮針）、"打子針"等九種針法繡製。其中"洒插針"、"滲碎針"、"扭針"為主要針法。與蘇繡針針重叠、不漏針眼的套針和綫條排列均齊、層層銜接的"搶針"為主是不同的。"辮子股針"是中國最古的普遍使用的傳統針法。唐、宋以來為使絲理和刺繡花樣的物像結合，創造了多種多樣的針法。

這幅廣繡利用"辮子股針"圍環圈轉而且凸起的絲理來表現羊身上的毛，巧妙地把羊毛的質感表現得很逼真，這是繪畫手段絕不能達到的效果。山石用"洒插針"的長短參差、錯落變色的絲理，根據山石的塊面，分區配以沉香色、駝色、淡駝、灰色、湖色、駝黃色、白色等色塊，表現了山石的明暗立體關係；再以石青"鐵梗綫"釘邊，使山石界劃清楚醒目。樹幹部分用"洒插針"外，又配以從花紋外緣起落、絲理排列均勻的"齊針"，表現出樹幹的質感。為了表現鳥的嘴、爪、背、腹、翅等不同的形象特徵，往往在一隻小鳥身上使用"勒針"、"刻鱗針"、"扭針"、

"紮針"、"洒插針"、"施針"等多種針法。其它例如以"扭針"綉太陽、雲、水、草,以"風車針"綉松樹葉,以"打子針"綉凸起的花蕊等等,使絲理與物像渾然結合。針綫的起落,用力的輕重,絲理的排列和走向,都用來表現物像的眞實感。刺綉藝術的這種特色,是其它藝術作品難以比擬的。

此件綉品,配色鮮麗,艷而不媚;針脚平齊,絲路分明;疏密有致,平坦伏貼,堪稱廣綉中的珍品。

廣綉是清代著名的地方綉之一,與蜀綉、蘇綉、湘綉合稱清代四大名綉。廣綉歷史悠久,唐朝廣東南海人盧眉娘,就是一位著名的刺綉能手。廣綉鋪針細於毫芒,又以馬尾毛纏絨作勒綫,花紋輪廓自然工整;色澤異常艷麗。廣綉的題材以鳥、獸、花卉、博古爲主,如"百鳥朝鳳"、"丹鳳朝陽"、"孔雀開屏"、"三羊開泰"等題材的構圖最爲常見。

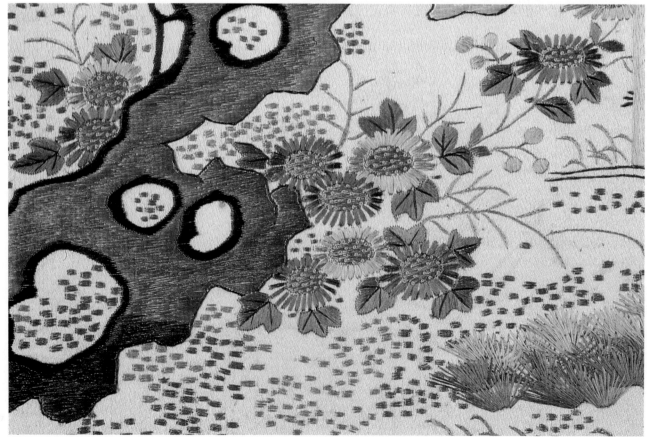

後記

　　《國寶》這本大型畫册，是一九八三年二月由故宮博物院與商務印書館香港分館商定編印的。畫册內的文物都是故宮博物院所藏的精品。

　　本畫册主編由北京歷史學會理事、故宮博物院研究員朱家溍先生擔任。院出版工作委員會副主任、《故宮博物院院刊》及《紫禁城》雙月刊總編輯劉北汜先生和出版工作委員會副主任兼院辦公室主任吳空先生協助主編工作，設計成書。研究室唐復年、楊臣彬、楊新、李毅華先生和陳娟娟女士參加編寫。胡錘先生攝製照片。周蘇琴女士組織拍攝文物和蒐集資料工作。故宮博物院研究室、陳列部、保管部和羣衆工作部的一些同志也分擔了部分工作。

　　全書共分五輯。第一輯“青銅器”概說及每件文物的文字說明由唐復年先生撰寫；第二輯“書畫”概說由楊新撰寫，其中法書文字說明及繪畫作品中的21、24、27、30、31、36、37、38、39、40、41、42、48、52及54圖的文字說明由楊臣彬先生撰寫，其餘繪畫作品的文字說明由楊新先生撰寫；第三輯“瓷器”、第四輯“工藝美術”及第五輯“織綉”的概說及每件文物的文字說明分別由李毅華先生、朱家溍先生及陳娟娟女士撰寫。

　　香港的陳萬雄先生、溫一沙先生和尤碧珊女士，在本畫册的編輯過程中，從內容、攝影到編排設計，也提供了不少有益的建議和協助，才使本畫册得以較快編成。

　　畫册題名《國寶》二字，是從漢《張遷碑》碑陰選集而成。封面包頁爲元代朱碧山製銀槎。封底圖案爲戰國時玉璧。

北京故宮博物院

一九八三年六月十六日

名詞索引

263